JN118540

まちごとチャイナ
北京 010

万里の長城と明十三陵
地平線へ続く「悠久の城壁」
［モノクロノートブック版］

渤海湾にのぞむ東の山海関から、北京、大同をへて西の嘉峪関まで、中国北部を横断するように続く万里の長城。地図上の延長2700km（またそれ以上）になる長城は人類が生んだ世界最大の建造物で、地形にあわせてうねりながら続く様子は龍にもたとえられる。

　この万里の長城は、紀元前7世紀ごろ、漢民族と敵対した北方騎馬民族の侵入を防ぐために造営されたのをはじまりとする。紀元前221年に中国を統一した秦の始皇帝によってそれまで複数あった長城がひとつにつなげられ、秦に続

く漢代、司馬遷が『史記』のなかでその長さを「万里余」と記したところから万里の長城と呼ばれるようになった（この時代の長城は今よりもはるか北にあった）。

　以来、中国の歴代王朝が2000年以上に渡って修復を繰り返し、とくに明代、首都がおかれた北京をとり囲むように八達嶺長城などの長城が造営された。砂漠から海にいたる広大な国土をつらぬくように走る万里の長城は、その規模、歴史の深さからも中国を象徴する建築物だと言える。

万里の長城と明十三陵

地平線へ続く「悠久の城壁」

**Asia City Guide Production
Beijing 010
Changcheng**

长城／cháng chéng／チャアンチャン

「アジア城市（まち）案内」制作委員会
まちごとパブリッシング

Contents

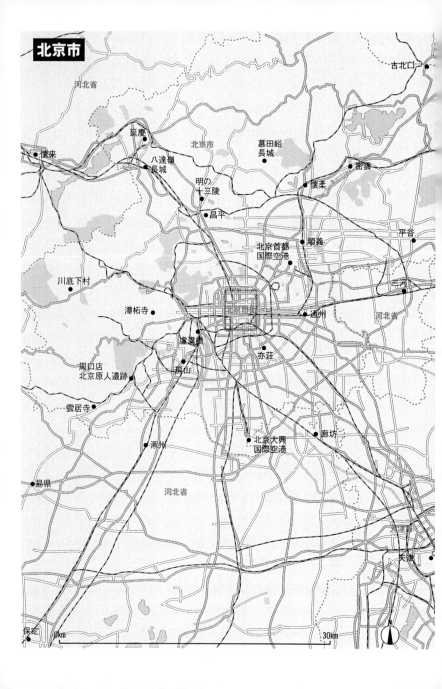

北京市

河北省
古北口

延慶
北京市
慕田峪
長城
密雲
懐来
八達嶺
長城
懐柔
明の
十三陵
平谷
昌平
順義
北京首都
国際空港
三河
河北省
川底下村
通州
潭柘寺
北京市
亦荘
盧溝橋
周口店
北京原人遺跡
房山
北京大興
国際空港
廊坊
雲居寺
涿州
易県
河北省

天津

保定　0km　　　　　　　　　　　　　　　　30km　　N

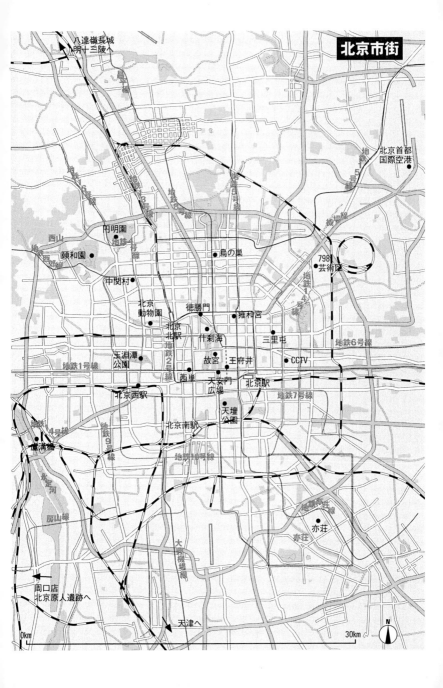

★★★
明十三陵／明十三陵 míng shí sān língミンシィサンリン
八達嶺長城／八达岭长城 bā dá lǐng cháng chéngバァダアリンチャァンチャン
★★☆
慕田峪長城／慕田峪长城 mù tián yù cháng chéngムゥティエンユゥチャァンチャン
★☆☆
昌平／昌平 chāng píngチャンピン
延慶／延庆 yán qìngイェンチィン
古北口／古北口 gǔ běi kǒuグゥベイコウ
懐柔／怀柔 huái róuフゥアイロォウ
密雲／密云 mì yúnミィイユゥン

Introduction
受け継がれてきた城壁

はるかどこまでも続く城壁
世界最大の建造物、万里の長城は
中華4000年の生き証人とも言える

世界最大の建造物

　地球上でもっとも巨大な建造物である万里の長城は、西は甘粛省の嘉峪関から、中国北部の陝西省、山西省、河北省、北京へといたり、山海関で渤海湾に溶けこむ(また長城は遼寧省へと続いていく)。中国国家文物局の発表によると、明代につくられた長城の総延長は8851.8kmだが、秦漢代のものや重複部分をあわせると2万kmを超えるという。この長城は場所によって石づくりのもの、レンガ製のもの、黄土を版築で固めたものなど、さまざまな形態があり、山や河などその土地の地形が最大限に生かされている。北京近郊の長城では城壁の高さは10mほどで、敵の襲来に対して城壁の一定区間に敵楼がもうけられ、銃眼、落石口などがそなえられている(版築と呼ばれる黄土を固めたものの周囲を日干し煉瓦や石材で固定する)。

なぜ万里の長城がつくられたの

　万里の長城が走る北緯40度あたりは、歴史的に農耕世界と遊牧世界をわける境界線であったことが知られる。定住して種をまき、農産物を収穫する農耕民族(漢民族)と、羊などの食料とともに季節によって放牧地を移動する遊牧民族では、家族や国家、制度、思考、生活などで大きな違いがある。

3000年前から北方の遊牧民族が豊かな南方の物資を求めて侵略を繰り返し、南の漢民族は国土を守るために万里の長城を築いた。古くは匈奴に対する始皇帝の秦、モンゴル（北元）に対する明によるものがそれで、両者の力関係から万里の長城は南北に移動している。また万里の長城を越えて、北魏、隋唐、遼金、元、清など北方民族が中国に王朝を樹立することもしばしばあり、元や清など農耕世界と遊牧世界をふくむ広大な国家が現れた場合、長城は意味をもたなくなった（現在の中華人民共和国は清の領土を受け継ぐ）。

内長城と外長城

　八達嶺、居庸関などの北京北西部から山西省大同の雁門にいたるまで長城は二重に走っている。明代、モンゴルのエセンやアルタン・ハンなどが長城を突破して北京を包囲するということがあり、こうした事態を受けて、16世紀なかばには北京の防御を固めるため、内城の南に外城が築かれ、また河北省宣府鎮から山西省大同まで3000か所以上に砲火台が築かれるなど長城の整備が進んだ（歴史的にこの一帯は燕雲十六州と呼ばれ、南北の勢力による争奪の舞台になってきた）。北京北西の居庸関は内長城と外長城が交わる屈指の要衝で、漢民族の勢力が強い場合には外長城を越えて軍営がもうけられていたが、北方民族の勢力が強い場合は内長城が最前線になった。

北京北郊外の構成

　万里の長城は北京中心部からそれほど遠くない北郊外60～120kmほどのところを走る。それは万里の長城に北京が近いというよりも、万里の長城の近くに北京という街がつくられたことを意味するという（農耕世界と遊牧世界の交わる接点に、北京は位置する）。北西60kmの八達嶺長城、北西50kmの居庸

山海関は万里の長城の東の果て、山東省秦皇島にて

中国を東西につらぬく長城は龍にもたとえられる

神々の像が刻まれた居庸関雲台

異民族の侵入を防ぐため連綿と建設が続いた

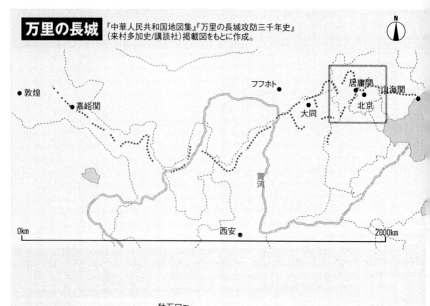

万里の長城

『中華人民共和国地図集』『万里の長城攻防三千年史』
（来村多加史/講談社）掲載図をもとに作成。

N

敦煌
嘉峪関
フフホト
大同
居庸関
山海関
北京
黄河
西安

0km   2000km

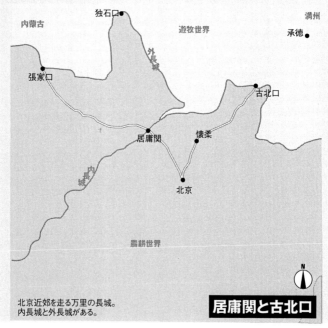

内蒙古
独石口
遊牧世界
満州
承徳
外長城
張家口
古北口
内長城
居庸関
懐柔
北京
農耕世界

N

北京近郊を走る万里の長城。
内長城と外長城がある。

居庸関と古北口

関長城（居庸関）、北60kmの慕田峪長城、北東110kmの金山嶺長城と司馬台長城（古北口）。万里の長城は東の山海関（山東省）から西の嘉峪関（甘粛省）までつながっているが、そのなかの「ある部分」ごとに整備されているため、このような呼びかたとなっている。とくに北西郊外の居庸関（八達嶺長城、居庸関長城）、北東郊外の古北口（金山嶺長城、司馬台長城）は、それぞれモンゴル族、満州族の暮らす地に続く要衝だった場所で、現在もその先には最果ての中華世界である張家口、清朝夏の離宮だった承徳が位置する。また居庸関近くには明の第3代永楽帝以下、13人の皇帝をまつる明十三陵が残る。明の永楽帝が1421年に南京から北京へと遷都したことによって、明清時代を通じて首都は北京におかれ、現在も中国の首都は北京となっている。

北京とモンゴル高原を結ぶ街道上に位置する昌平

昌平、延慶行きのバスターミナルがある北京徳勝門

Chang Ping
昌平城市案内

明の十三陵、居庸関を抱える昌平
明清時代からモンゴル方面へ続く街道が走っていて
現在では鉄道、地下鉄、バスで市街部と結ばれている

昌平／昌平★☆☆
chāng píng
しょうへい／チャンピン

　北京市街の北西郊外にあり、明十三陵、居庸関、万里の長城への足がかりとなる昌平。新石器時代から人類の活動していた場所で、昌平という名称は、漢武帝の紀元前110年、貴族の昌平侯がこの地に封建されたことに由来する。当時、この地には昌平、軍都の2県があり、昌平とは「昌盛平安」を意味し、当時の昌平は居庸関あたりをさしたという。明代の1415年、最高の風水をもつ昌平天寿山の麓に長陵(明十三陵)が造営されると、その地位を高め、「京師(北京)の枕」「股肱重地(一番信頼する腹心)」と呼ばれた(明十三陵を防衛するために陵墓の南側に永安城、北京へ続く街道上に鞏華城が築かれた)。1506年には昌平州がおかれ、北京北部の懐柔、密雲、順義を管轄するなど、昌平は明朝にとって重要な意味をもった。昌平は市街へ向かって流れる永定河や北京の運河の水源となった白浮泉遺跡も抱える。

昌平清真寺／昌平清真寺★☆☆
chāng píng qīng zhēn sì
しょうへいせいしんじ／チャンピンチンチェンスウ

　昌平中心部に位置するイスラム教モスクの昌平清真寺。

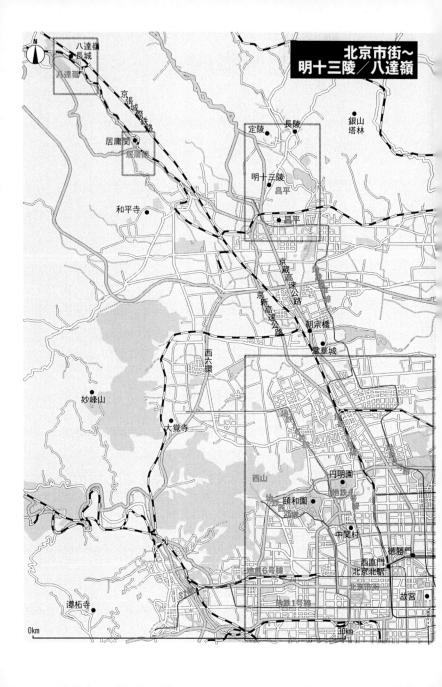

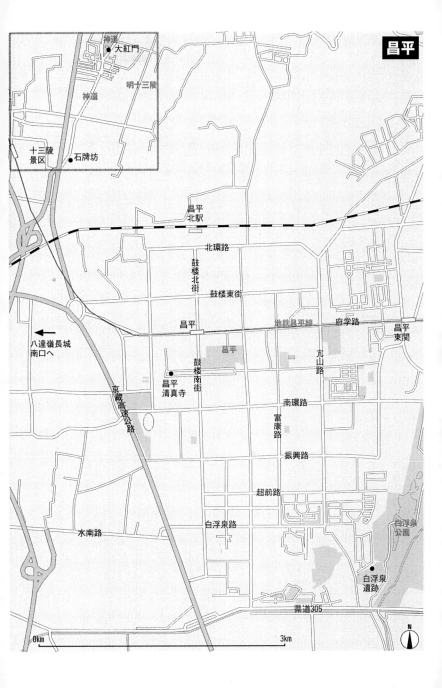

昌平

神道
●大紅門

明十三陵

神道

十三陵
景区
●石牌坊

昌平
北駅

北環路

鼓楼北街

鼓楼東街

昌平 铁路昌平线 府学路 昌平東関

八達嶺長城
南口へ

昌平

鼓楼南街

兀山路

昌平
清真寺

南環路

富康路

京蔵高速公路

振興路

超前路

白浮泉
公園

水南路

白浮泉路

白浮泉
遺跡

県道305

0km   3km

N

元末明初、モンゴル討伐のために北征した常遇春(1330〜69年)によって建てられた(イスラム教徒の回族は、北京から伸びる主要街道で商売を行なった)。イスラムを意味する緑色の壁とドームが乗る「山門」、「二門」と続き、明の皇室で使われた様式をもつ「金絲楠木大殿」が立つ。中国の伝統的な建築様式のなか、アラビア文字が刻まれ、あたりには羊肉店も見える。五街清真寺ともいう。

白浮泉遺跡／白浮泉遗址★☆☆
bái fú quán yí zhǐ
はくふせんいせき／バイフウチュゥアンイイチイ

元代、郭守敬(1231〜1316年)が北京に運河を整備したとき、その水源となった昌平の白浮泉遺跡。あたりには龍王廟があり、しばしば祈雨が行なわれたところで、龍泉という泉がわいていた。運河工事にあたって郭守敬は各地を調査し、ここ昌平の白浮泉の水を北京中心部までひく工事を進めた。かつては9つの取水口をそなえ、白浮堰をつくって西山、積水潭へ水は運ばれた。「京閘壩の源」、また優れた景観をもつことから燕平八景のひとつ「龍泉漱玉」ともたたえられた(燕

平とは昌平のこと）。

朝宗橋／朝宗桥 ★☆☆
cháo zōng qiáo
ちょうそうきょう／チャオゾンチアオ

　北京徳勝門から昌平に向かって走る街道上、北沙河にかかる長さ130m、幅13mの朝宗橋。1448年、明の皇帝が安全に通行できるように建設され、北沙河の北大橋(朝宗橋)と、南沙河の南大橋(安済橋)が対になっていた。盧溝橋、永通橋(八里橋)とならんで、北京三大橋梁にあげられ、花崗岩製の橋は7つの孔をもつ。

鞏華城／巩华城 ★☆☆
gǒng huá chéng
きょうかじょう／ゴンフゥアチャン

　明の永楽帝が北巡にあたってしばしばこの地を通り、1421年、沙河に行宮がおかれた。その後、1436年に水害をこうむったが、嘉靖帝(在位1521～66年)時代、行宮跡を前に「沙河は明十三陵への途上にあり、必ず通る場所だから」という理由で、行宮が新たに建てられた(1537～40年のことで、明皇室は清明、中元、冬至などの行事で必ず十三陵に参った)。この鞏華城は、東西南北それぞれ1000mの正方形のプランをもち、四方に門が配されていた。城壁の高さは5、6mになる。

銀山塔林／银山塔林 ★☆☆
yín shān tǎ lín
ぎんざんとうりん／インシャンタアリィン

　昌平から35km離れた郊外の崇山にそびえる銀山塔林。ここは遼代、仏教寺院の宝岩寺があったところで、その後、金代の1125年に大延聖寺が建てられた。金、元、明、清代を通じて建てられた18座の舎利塔が残り、そのうち7つが密接していて、うち5座が遼金、ふたつは元代のものになる(これら銀山

塔林は僧侶の墓）。遼金時代の仏塔は、八角十三層と六角七層で密檐式で高さは20mほどになる。冬、この地に雪が降ったあとに白く美しい情景、またあたりを走る黒い鉄の岩肌を見せる岸壁を「銀山鉄壁」といい、燕平八景にもあげられる。

和平寺／和平寺 ★☆☆
hé píng sì
わへいじ／ハアピィンスウ

　南口の花塔村に位置する古刹和平寺。唐代、尉遅恭によって建てられ、宋、元、明、清時代と改修が続いた。天王殿、仏祖殿、弥勒殿、観音殿などからなる。

Ming Shi San Ling
明十三陵鑑賞案内

北京市街から北西50kmに位置する明十三陵
40平方キロメートルに及ぶ広大な敷地に
第3代永楽帝以後の皇帝陵墓が残る

明十三陵／明十三陵★★★
míng shí sān líng
みんじゅうさんりょう／ミンシィサンリン

　北を天寿山、東を蟒山、西を虎峪に囲まれ、南が開けた
最高の風水の地に築かれた明十三陵。明(1368～1644年)は
モンゴル族の元に代わって、270年のあいだ中国を統治
した漢民族の王朝で、当初、江南の南京に都があったが、
第3代永楽帝(在位1402～24年)時代に北京に遷都された。明
十三陵には、この永楽帝から最後の崇禎帝にいたる14人
の皇帝のうち、第7代景泰帝をのぞく13人の皇帝の陵墓
がおかれている(16人の皇帝のうち、13人の皇帝と23人の皇后が眠
る)。永楽帝の在位中の1409年から長陵の建設がはじま
り、清の順治帝の1643年に明のラストエンペラー崇禎帝
の思陵が完成するまで200年以上、造営が続いた。永楽帝
の長陵に向かって神道が伸び、石牌坊、大紅門、神道、欞星
門、七孔石橋と続き、金水橋をわたると陵墓にいたる。こ
の軸線を中心に放射状に各皇帝陵が位置し、敷地面積は
80平方キロメートルになる。ひとつの場所に13人の皇帝
が眠る神聖な空間となっていて、明・清王朝の皇帝陵墓群
として世界遺産にも指定されている。

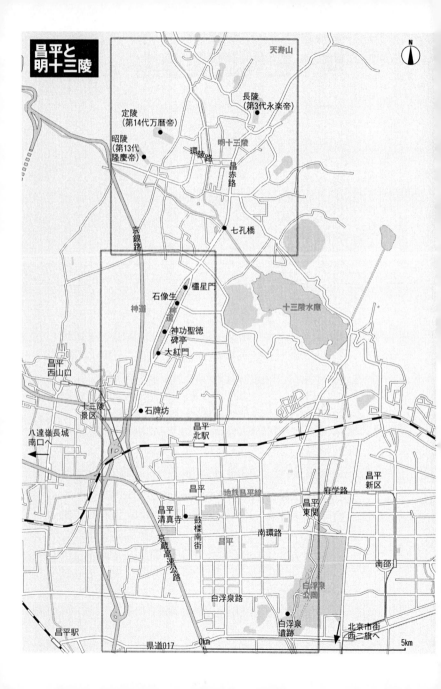

昌平と
明十三陵

N

天寿山

長陵
(第3代永楽帝)

定陵
(第14代万暦帝)

明十三陵

昭陵
(第13代
隆慶帝)

環陵路

昌赤路

京銀路

七孔橋

十三陵水庫

欞星門

石像生

神道

神功聖徳
碑亭

大紅門

昌平
西山口

十三陵
景区

石牌坊

昌平
北駅

八達嶺長城
南口へ

昌平

地鉄昌平線

府学路

昌平
新区

昌平
清真寺

鼓楼南街

昌平

昌平
東関

南環路

南邵

京蔵高速公路

白浮泉
公園

白浮泉路

白浮泉
遺跡

北京市街
西二旗へ

昌平駅

県道017

0km

5km

最高の風水宝地

　　歴代の中国皇帝陵は、都から少し離れた風水上優れた
場所に造営され、明十三陵以外にも、西安郊外に残る漢
や唐の皇帝陵墓、開封郊外の北宋皇帝陵墓、北京郊外の
清朝皇帝陵墓(東郊外の清東陵、西郊外の清西陵)が知られる。
明十三陵は、「背後に黄土山(天寿山)があり、その前方に、
龍山と虎山というふたつの山を従えるこの地は風水宝
地(吉壌)である」という江西省の風水師廖均卿の進言で、
この場所での造営が決まった。北京の北側を屏風のよう
に包む山脈(軍都山)と華北平原が交わる地点に位置し、平
原が丘陵部に侵食していくように伸び、その平原部が明
十三陵(長陵)の軸線となっている。

★★★
明十三陵／明十三陵 míng shí sān líng ミンシィサンリン
長陵／长陵 cháng líng チャンリン
定陵／定陵 dìng líng ディンリン
★★☆
神道／神道 shén dào シェンダオ
石像生／石像生 shí xiàng shēng シイシィアンシャン
昭陵／昭陵 zhāo líng チャオリン
★☆☆
昌平／昌平 chāng píng チャンピン
昌平清真寺／昌平清真寺 chāng píng qīng zhēn sì チャンピンチンチェンスウ
白浮泉遺跡／白浮泉遗址 bái fú quán yí zhǐ バイフウチュゥアンイイチイ
石牌坊／石牌坊 shí pái fāng シイパイファン
大紅門／大红门 dà hóng mén ダァホンメン
神功聖徳碑亭／神功圣德碑亭 shén gōng shèng dé bēi tíng シェンゴォンシェンダァベェイティン
櫺星門／棂星门 líng xīng mén リィンシィンメン

明十三陵に納められた皇帝

「長陵」第3代永楽帝／成祖(在位1402〜24年)

「献陵」第4代洪熙帝／仁宗(在位1424〜25年)

「景陵」第5代宣徳帝／宣宗(在位1425〜35年)

「裕陵」第6代正統帝、第8代天順帝／英宗
　　　　　(在位1435〜49年、1457〜64年)

「茂陵」第9代成化帝／憲宗(在位1464〜87年)

「泰陵」第10代弘治帝／孝宗(在位1487〜1505年)

「康陵」第11代正徳帝／武宗(在位1505〜21年)

「永陵」第12代嘉靖帝／世宗(在位1521〜66年)

「昭陵」第13代隆慶帝／穆宗(在位1566〜72年)

「定陵」第14代万暦帝／神宗(在位1572〜1620年)

「慶陵」第15代泰昌帝／光宗(在位1620年)

「徳陵」第16代天啓帝／熹宗(在位1620〜27年)

「思陵」第17代崇禎帝／毅宗(在位1628〜44年)

明十三陵にない皇帝陵

　明朝は、第3代永楽帝(在位1402〜24年)の時代に北京へ遷都されたため、それ以前の初代洪武帝(在位1368〜98年)、第2代建文帝(在位1398〜1402年)の陵墓は、明十三陵にない。また第6代正統帝(在位1435〜49年)は、土木の変でモンゴルにとらえられ、その後、第8代天順帝(1457〜64年)として即位したため、裕陵は同一人物(英宗)でふたつの名前をもつ皇帝の陵墓となっている。混乱のなか、第7代景泰帝(在位1449〜57年)は皇帝ではなく王として死んだため、十三陵にはまつられていない(のちに帝号が復活した)。

陵の構成

　明十三陵ではいずれも決まった構成が見られ、南北の

まっすぐ長陵に伸びていく長さ7.3kmの神道

南京から北京へ遷都した永楽帝の眠る長陵

宝頂の前面にそびえる明楼

成祖こと第3代永楽帝を安置する

軸線上に「陵門」、「陵恩門」、陵の中心にあたる「陵恩殿」、陵名を記す石碑の立つ「明楼」、「宝頂」へと続き、宝頂の地下に皇帝の眠る「地下宮殿」が配置されている。前方後円、三進式で、この様式は南京の洪武帝（在位1368〜98年）の孝陵からはじまり、明以後の清の皇帝陵でも受け継がれた（黄色の瑠璃瓦は皇帝のみが使用を許された）。また皇帝陵を守るため、それぞれに衛が設置されたが、やがて陵墓全体を守る昌平鎮がおかれた。

Shen Dao
神道鑑賞案内

長陵に向かってまっすぐ伸びる神道
明十三陵の軸線であり
皇帝も歩いて陵墓へ向かった

神道／神道★★☆
shén dào
しんどう／シェンダオ

　石牌坊、大紅門、神功聖徳碑亭、石像生、櫺星門から長陵に向かって伸びる長さ7.3kmの神道。神道とは永楽帝の長陵の神道のことで、また明十三陵全体の神道でもある。1435年に長陵が改修されたときにおかれた石彫りの彫像（石像生）が見られ、南から獅子、獬豸、駱駝、象、麒麟、馬、武官、文官、勲臣の順番で4体ずつ計36体ならび、神道を守護する（ふたつは立ち、ふたつは坐っている）。この神道全体の造営は、明の正統年間からはじまり、嘉靖帝年間の1540年に完成した。

石牌坊／石牌坊★☆☆
shí pái fāng
せきはいぼう／シィパイファン

　明十三陵の入口の役割を果たしている白大理石製の石牌坊。1540年に建てられたこの石牌坊は、6本の柱とそのあいだの5つの間から構成され、明代の石牌坊のなかでもっとも保存状態がよいと言われている（幅28.86m、高さ11m）。基壇には漢白玉石に龍などの彫刻が見られる。

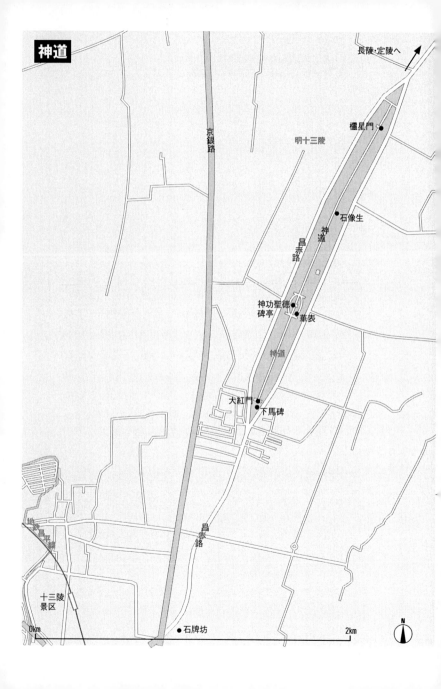

神道

長陵・定陵へ

京銀路

明十三陵

櫺星門

石像生

昌赤路

神道

神功聖徳
碑亭　　華表

神道

大紅門
下馬碑

昌赤路

地鉄昌平線

十三陵
景区

0km

石牌坊

2km

N

大紅門／大红门 ★☆☆

dà hóng mén

だいこうもん／ダァホンメン

　　石牌坊から1km北に進んだところに立つ大紅門（大宮門とも呼ばれる）。かつて大紅門から皇帝陵を囲むように陵垣が左右に伸び、ここから先は明朝皇帝の眠る神聖な空間（陵域）となっていた。そのため、明の皇帝が先祖の供養に訪れたとき、皇帝はここで下馬し、脇にあった小宮で衣服をあらためてから歩いて陵へと向かった。

下馬碑／下马碑 ★☆☆

xià mǎ bēi

げばひ／シャアマアベイ

　　大紅門の門前の左右両側に立つ下馬碑。高さ5.32mで、「官員人等至此下馬（官吏などはここで馬から下りるよう）」という文言が書いてある。ここから先は、明皇帝の眠る神聖な空間で、馬から下りて参詣しなくてはならなかった。

神功聖德碑亭／神功圣德碑亭 ★☆☆

shén gōng shèng dé bēi tíng

しんこうせいとくひてい／シェンゴンシェンダアベェイティン

　　幅23.1m、高さ25.14m、四方に門が開いた赤色の基壇に、皇帝を意味する黄色の屋根瓦が載る神功聖德碑亭。碑亭の

★★★
明十三陵／明十三陵 míng shí sān líng ミンシィサンリン

★★☆
神道／神道 shén dào シェンダオ
石像生／石像生 shí xiàng shēng シイシィアンシャン

★☆☆
石牌坊／石牌坊 shí pái fāng シィパイファン
大紅門／大红门 dà hóng mén ダァホンメン
下馬碑／下马碑 xià mǎ bēi シャアマアベイ
神功聖德碑亭／神功圣德碑亭 shén gōng shèng dé bēi tíng シェンゴンシェンダアベェイティン
華表／华表 huá biǎo フゥアビィアオ
櫺星門／棂星门 líng xīng mén リィンシィンメン

ひざまずく駱駝はじめ、石像生が続く

大紅門より先は皇帝でさえも2本の足で歩いた

神功聖徳碑亭、四方には華表が立つ

皇帝に仕える文官が武官とならんで見える

壁と台基は明代のもので、亭内は乾隆帝年間に改修されている。亀の上に石碑が載る様式の大明長陵神功聖徳碑が立ち、高さは7.9mになる。永楽帝（在位1402〜24年）死後の1425年に第4代洪熙帝によって建てられた。

華表／华表★☆☆
huá biǎo
かひょう／フゥアビィアオ

神功聖徳碑亭の四隅に立つ白大理石の彫刻。華表は八角形のプランをもつ標柱で、高さは10.81m。頂部に神獣の蹲龍が載る。

石像生／石像生★★☆
shí xiàng shēng
せきぞうせい／シイシィアンシャン

神功聖徳碑亭の北側から800mほど続く神道の両脇に配置された12対の石獣と6対の石人を石像生という。陵墓前に死後の皇帝に仕える石刻を配置する習慣は西周のときに現れ、漢代、唐代に盛んに行なわれた。南から獅子、獬豸、駱駝、象、麒麟、馬(以上、石獣)、武官、文官、勲臣(以上、石人)の順番で4体ずつ計36体ならび、2体ずつ立ち、2体ずつ坐っている。これらは皇帝が、あの世でもこの世と同じ生活ができるように配置された。このうち武官、文官、勲臣は翁仲とも呼ばれる。それは秦代、対匈奴戦で成果をあげた将軍翁仲のことで、始皇帝の死後、守り神として咸陽宮の門外におかれた。以来、寺院と墓を守る石人像は、翁仲と呼ばれるようになった。

欞星門／棂星门★☆☆
líng xīng mén
れいせいもん／リィンシンメン

石像生の北側に立ち、下部に3つの門がもうけられた欞星

門。明代には黄緑色の瑠璃瓦でかざられていたが、その後、修理されたときに、現在の紅壁、灰色の瓦の姿になった。皇后が陵墓に入るとき、必ずこの門を通過したため、龍鳳門と呼ばれた。また山門上部には、宝珠火焔の装飾が見られたことから「火焔牌坊」ともいった。

Chang Ling
長陵鑑賞案内

紫禁城の造営、北京への遷都を行なった永楽帝
この明第3代皇帝が眠る長陵は
明十三陵の中心に立つ

「最強の皇帝」永楽帝

　1368年、モンゴル族の元を北方に追いやって樹立された明朝。初代皇帝は洪武帝で、のちに永楽帝となる朱棣(洪武帝の第4子)は、対モンゴルの最前線である北京の守備をまかされていた。洪武帝死後、第2代建文帝が南京で即位すると、朱棣(永楽帝)は叛旗をひるがえして帝位を奪い(靖難の変)、自身の拠点であった北京へ遷都した。この永楽帝は自ら軍をひきい、5度も長城を越えたモンゴル討伐の遠征に出るなど、中国史上、もっとも武勇に優れた皇帝だと言われる。また鄭和を南海に派遣して明朝の栄光をインド洋から東アフリカに示すなど、華々しい外交成果をあげた(鄭和によってアフリカのキリンがもたらされ、足利義満が日本王に封じられた)。内政面では『四書大全』『五経大全』『永楽大典』などの編纂を命じる一方、宦官を重用し、その後の明朝宮廷を混乱させる一因にもなった。

長陵／长陵★★★
cháng líng
ちょうりょう／チャンリン

　石牌坊、大紅門、神道の軸線延長上に位置し、明十三陵のなかで最大規模を誇る長陵。第3代永楽帝(廟号成祖、1360〜

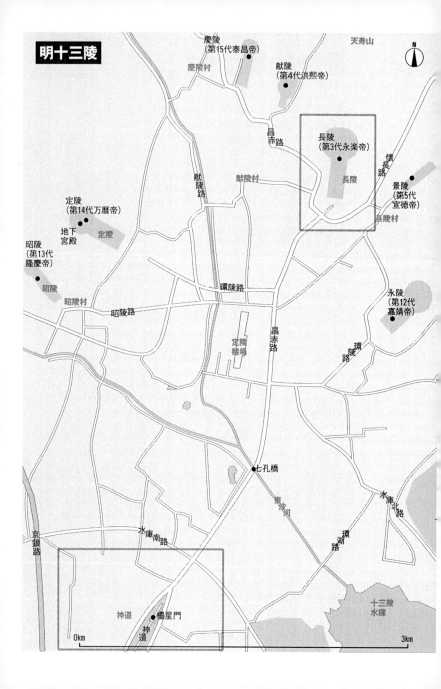

1424年、在位1402〜24年）が眠り、この長陵を中心に明十三陵は扇のように展開する。1402年に皇帝に即位した永楽帝は南京から北京へ遷都し、紫禁城を造営するなど「永楽の盛時」と呼ばれる時代を築いた。明皇帝陵の敷地は、永楽帝の在位中に整備され、長陵は1415年に完成している。前方後円のかたちをしていて、三進院落からなり、第一院落には陵門、第二院落には前面に稜恩門、稜恩殿が立ち、第三院落には欞星門、明楼が立つ。その背後に円形の宝頂があり、その地下に永楽帝が眠る。

碑亭／碑亭★☆☆
bēi tíng
ひてい／ベイティン

　巨大な亀のうえに高さ6.5mの大明長陵神功聖徳碑が立つ碑亭。1425年、第4代洪熙帝が永楽帝のために建立したもので、背面には清の第6代乾隆帝による「哀明陵三十韻」が見える。四方に開けた開放的な建物となっている。

稜恩殿／稜恩殿★☆☆
léng ēn diàn
りょうおんでん／ランエンディエン

　長陵の中核をなし、故宮の太和殿にもくらべられる巨大な木造建築の稜恩殿。大理石の基壇に間口67m、奥行き30mという巨大な建物が載り、建物内部中央には皇帝の位牌が

★★★
明十三陵／明十三陵 míng shí sān líng ミンシィサンリン
長陵／长陵 cháng líng チャンリン
定陵／定陵 dìng líng ディンリン
★★☆
神道／神道 shén dào シェンダオ
地下宮殿／地下宫殿 dì xià gōng diàn ディイシャアゴンディエン
昭陵／昭陵 zhāo líng チャオリン
★☆☆
欞星門／棂星门 líng xīng mén リィンシィンメン

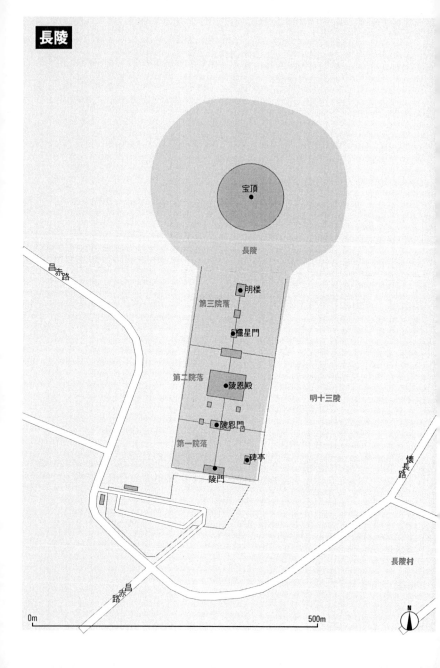

長陵

宝頂

長陵

明楼

第三院落

櫺星門

第二院落

陵恩殿

明十三陵

第一院落

陵恩門

碑亭

陵門

昌赤路

懐長路

長陵村

昌赤路

0m   500m

N

安置されている。また永楽帝の命で、雲南や四川から運ばれた金絲楠木による33本の円柱が立ち、この稜恩殿の南北2か所の出入口の石階段には海馬や龍の彫刻が見られる。

明楼／明楼★☆☆
míng lóu
めいろう／ミンロォウ

　稜恩殿の背後に位置し、宝頂の前面にそびえる明楼。高さ15mの城門のうえの楼閣内に、大きな石づくりの墓碑が安置され、表面には「大明成祖文皇帝之陵(成祖は永楽帝)」と記されている。また龍文や雲気文の彫刻も見られる。

宝頂／宝頂★☆☆
bǎo dǐng
ほうちょう／バオディン

　長陵のもっとも北側(最奥部)に位置する円丘の宝頂。宝城、宝山城ともいい、高さは7.3m、周囲は1kmになる(一座の小さな山に見えることから、宝山ともいう)。この宝頂のしたに皇帝が眠る地宮が造営されている。

★★★
明十三陵／明十三陵 míng shí sān líng ミンシィサンリン
長陵／长陵 cháng líng チャンリン
★★☆
稜恩殿／稜恩殿 léng ēn diàn ランエンディエン
★☆☆
碑亭／碑亭 bēi tíng ベイティン
明楼／明楼 míng lóu ミンロォウ
宝頂／宝頂 bǎo dǐng バオディン

長陵の中心に立つ稜恩殿、故宮の太和殿に対応する

この明楼の奥に永楽帝が眠っている

北京に遷都した永楽帝、堂々したたたずまい

奥へ奥へ続く空間は皇帝陵の神聖さを表現する

Ding Ling
定陵鑑賞案内

**長陵とならんで公開されている
明の第14代万暦帝の定陵と第13代隆慶帝の昭陵
ここでは皇帝の眠る地下宮殿が見られる**

定陵／定陵★★★
dìng líng
ていりょう／ディンリン

　明の第14代万暦帝（廟号神宗、1563～1620年、在位1572～1620年）とふたりの皇后が埋葬されている定陵。定陵の造営には6年の歳月、銀800万両、3万人あまりの職人の労力が投じられ、1590年、万暦帝が28歳のときに完成した。この陵に眠る万暦帝は政治のほとんどを宦官にゆだね、その統治期間に農民は困窮し、黄河が決壊するなど社会不安が増大していた。くわえて豊臣秀吉の朝鮮出兵やのちに清朝を樹立するヌルハチの満州軍などに応じる「万暦の三大征」が組まれたことから、軍事費のための大増税が行なわれ、「明の亡ぶは、実は神宗（万暦帝）に亡ぶ」と言われている。長陵を軸に扇状を描く十三陵にあって、定陵は長陵から南西2.2kmに離れた場所に位置する。長陵発掘の予備調査として、まずこの定陵が1956～58年に発掘されたという経緯があり、皇帝の眠る地下宮殿が公開されている。

地下宮殿／地下宮殿★★☆
dì xià gōng diàn
ちかきゅうでん／ディシャアゴンディエン

　地下20mの深さに広がる定陵の地下宮殿。前殿、中殿、後

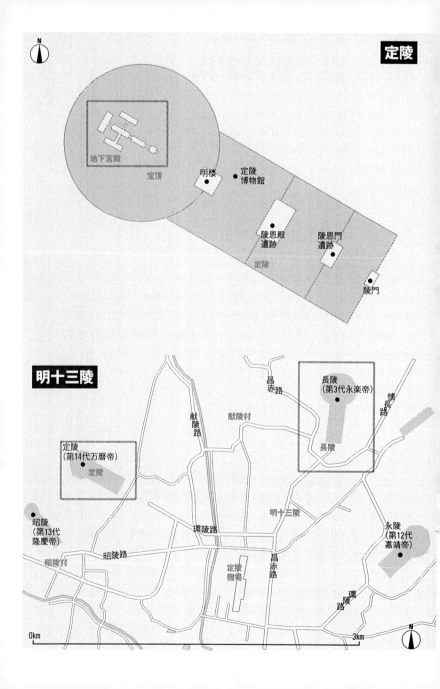

定陵

地下宮殿

宝頂

明楼

定陵博物館

陵恩殿遺跡

陵恩門遺跡

定陵

陵門

明十三陵

長陵（第3代永楽帝）

昌赤路

献陵路

献陵村

懐長路

長陵

定陵（第14代万暦帝）

定陵

昭陵（第13代隆慶帝）

昭陵村

昭陵路

環陵路

明十三陵

永陵（第12代嘉靖帝）

昌赤路

定陵機場

環陵路

0km　3km

殿が中軸線上にならび、その左右の配殿(玄室)をくわえて構成される。全長88m、高さ7m、面積は1195平方メートルで、柱がなく、天井は石のアーチで支えられている。万暦帝はこの地下宮殿が完成したとき、宮殿の堅固さを喜び、ここで群臣と祝宴をあげたという。定陵の発掘は、1956年から58年にかけて行なわれ、多数の出土品が確認された。

中殿／中殿★☆☆
zhōng diàn
ちゅうでん／チョンディエン

　地下宮殿の中心に位置する中殿。漢白玉石の宝座が3つおかれ、それぞれ五供と青花磁の大瓶、また香炉、燭台、花瓶などがそえられていた。大瓶のなかには油が入っていて、皇帝が埋葬されたあとも、地下宮殿を照らす長明灯の役割を果たしていたという(実際は酸素がなくなり、すぐに火は消えた)。

後殿／后殿★☆☆
hòu diàn
こうでん／ホウディエン

　後殿は墓室になっていて、中央に万暦帝の棺、その左右にふたりの皇后の棺がおかれていた。棺の周囲には26個の木箱があり、鳳冠など副葬品が多数出土した。この墓室が発掘されたとき、死体は腐敗していたが、頭髪は残っていたと伝えられる。

★★★
明十三陵／明十三陵 míng shí sān líng ミンシィサンリン
定陵／定陵 dìng líng ディンリン
長陵／长陵 cháng líng チャンリン
★★☆
地下宮殿／地下宫殿 dì xià gōng diàn ディイシャアゴンディエン
昭陵／昭陵 zhāo líng チャオリン
★☆☆
定陵博物館／定陵博物馆 dìng líng bó wù guǎn ディンリンボォウゥガン

定陵地下宮殿

『中国歴代の皇帝陵』
（羅哲文/徳間書店）
掲載図をもとに作成

定陵断面図

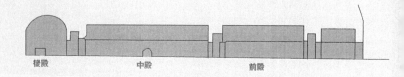

後殿　　　　　　中殿　　　　　　前殿

定陵平面図

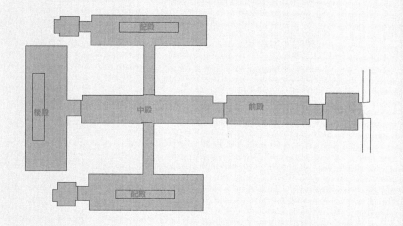

0m　　　　　　　　　　　　　　　　　　50m

定陵博物館／定陵博物馆 ★☆☆

dìng líng bó wù guǎn

ていりょうはくぶつかん／ディンリンボォウゥガン

　定陵の地下宮殿から発掘された金銀財宝が展示されている定陵博物館。定陵からは金器、銅器、陶磁器、織物、玉、杯、装身具などが2000点以上発見され、とくに六龍三鳳冠と呼ばれる金冠と、皇后の鳳冠は明代の傑作にあげられる。

昭陵／昭陵 ★★☆

zhāo líng

しょうりょう／チャオリン

　長陵の南西、定陵の近くに位置する明の第13代隆慶帝が眠る昭陵(廟号穆宗、1537〜72年、在位1566〜72年)。隆慶帝は優秀な官僚である張居正を登用し、政治、経済、軍事において改革を推進した賢明な君主として知られる。また隆慶帝は戚継光を薊鎮総兵に任じて、北方の軍事任務にあたらせ、慕田峪長城や金山嶺長城などの万里の長城を修築させた。隆慶帝は1572年、紫禁城乾清宮で病没し、当初は潭峪嶺(現在の徳陵の位置)が陵墓として考えられたが、風水が再度考えられ、大峪山の麓の現在の位置に造営が決まった。この昭陵には隆慶帝とふたりの李氏、陳氏という3人の皇后が合葬され、李氏の子が第14代万暦帝として即位している。長陵、定陵とくらべて規模や華麗さではおとるが、碑亭、稜恩殿、明楼から宝頂へいたる皇帝陵墓の構造が見られる。

★★★

定陵／定陵 dìng líng ディンリン

★★☆

地下宮殿／地下宫殿 dì xià gōng diàn ディイシャアゴンディエン

★☆☆

中殿／中殿 zhōng diàn チョンディエン

後殿／后殿 hòu diàn ホウディエン

宝頂のちょうど真下、皇帝の眠る地下宮殿

第14代万暦帝のまつられた定陵

明第13代隆慶帝の昭陵

長陵、定陵にくらべてこぢんまりとしている

長城と中華の建設

モンゴル族の元を北方に追いやって樹立された明
漢民族の栄光を示す一方
北虜南倭に苦しんだ時代でもあった

北京へ遷都

　もともと明の都は南京にあり、豊かな江南の経済を背景
とした国力をもっていたが、1403年、第3代永楽帝の時代に
万里の長城に近く、モンゴルへの最前線である北京(北平)へ
遷都された(正式な遷都は1421年で、このとき南京に対して北の都を意
味する北京という名前が使われ、以後、明清代、中華人民共和国の首都が北
京におかれることになった)。北京の地は北方から見ると農耕世
界への入口で、また南方から見ると遊牧世界への入口に位
置した。元以後も北方で力を残し、たびたび明の領土をおび
やかすモンゴルに対して、万里の長城が築かれ、主要な関所
に九辺鎮がおかれた。明代について使われる北虜南倭とい
う言葉は、北方のモンゴルと南方の倭寇が明の領土を侵す
ことを意味する。

皇帝を中心とした秩序や礼制

　10世紀以降、華北の地は遼、金、元と北方民族の統治を受
けていたが、1368年、漢民族の朱元璋(洪武帝)によって明が
建国されると、皇帝を中心とする中華の秩序に基づく国づ
くりが進められた。対外的にはモンゴルや日本など明の周
辺国とのあいだで朝貢貿易が行なわれ、第3代永楽帝の時代

四合院、都市の城壁、長城と、壁の規模は大きくなっていく

皇帝陵墓をとり囲む紅壁

北京の中心に位置する故宮、明代に創建された

軸線上に建物をおく原理でつらぬかれている

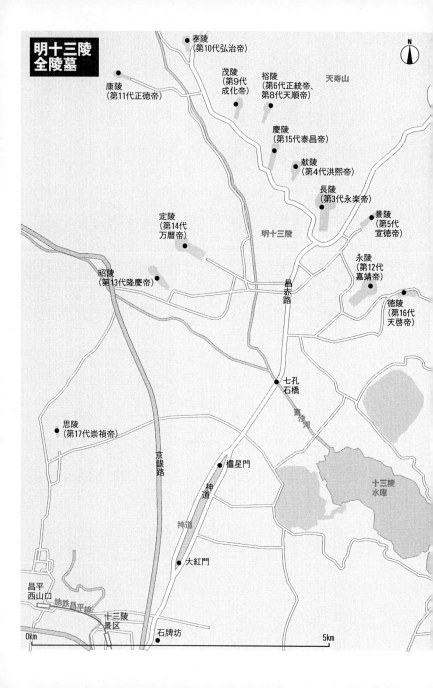

明十三陵
全陵墓

泰陵
（第10代弘治帝）

天寿山

康陵
（第11代正徳帝）

茂陵
（第9代
成化帝）

裕陵
（第6代正統帝、
第8代天順帝）

慶陵
（第15代泰昌帝）

献陵
（第4代洪熙帝）

長陵
（第3代永楽帝）

景陵
（第5代
宣徳帝）

定陵
（第14代
万暦帝）

明十三陵

昭陵
（第13代隆慶帝）

昌赤路

永陵
（第12代
嘉靖帝）

徳陵
（第16代
天啓帝）

七孔
石橋

東沙河

思陵
（第17代崇禎帝）

京銀路

櫺星門

神道

神道

十三陵
水庫

大紅門

昌平
西山口

城鉄昌平線

十三陵
景区

石牌坊

0km

5km

に天を地上に映したという紫禁城とその周囲をとり囲む27kmの城壁をめぐらせた内城が建設された。またたびたび明の領土をおびやかし、北京にまでせまるモンゴルに対して、第12代嘉靖帝は周囲22kmからなる外城を内城の南側においたため、北京の街は凸型のかたちをもつようになった。この時代(16世紀)、北京の四方を囲むように天壇、地壇、日壇、月壇が整備され、冬至に天を、夏至に大地をまつる礼制がととのえられ、その街の構成は現在でも確認できる。

宦官の横暴と明滅亡

「漢、唐、明といった王朝は宦官によって滅んだ」と言われ、宦官を排した初代洪武帝などの例外をのぞいて、明朝では宦官が宮廷に跋扈し、政治を左右するほどの影響力をもっていた(宦官とは去勢して宮廷などに仕える男子のことで、中国では春秋戦国時代から清朝にいたるまで国を動かすほどの権力をもった)。宦官になれば科挙を受けることなく権力を得られ、皇帝に暇をあたえないほどの贅沢三昧をさせて、明朝政治の実権は宦官がにぎった。3000人の宦官募集に2万人の志願者が出るほどで、明代末期には9000人の女官、10万人の宦官がいたと言われ、国家滅亡の要因になったと指摘される。万暦帝時代の遠征費などで税があがり、くわえて1627年、1628年の干害で明はゆらぎ、陝西省から起こった李自成のひき

いる農民反乱軍が北京にせまった。第17代崇禎帝は宦官を連れ、紫禁城北の景山にのぼって縊死し、270年続いた明朝は滅んだ(1644年)。

居庸関鑑賞案内

北京防衛の最重要地点であった居庸関
居庸外鎮の八達嶺長城とあわせて
数重の防御態勢がとられていた

居庸関／居庸关★★★
jū yōng guān
きょうかん／ジュウヨンガァン

　北方民族の本拠であるモンゴル高原からゴビ砂漠、北京
へと通じる街道上に位置する関所の居庸関。春秋戦国時代、
「天下に九塞あり、居庸はそのうちの一つ」という『呂氏春
秋』の記述があり、居庸関という名前は、長城建設の工事を
になう人々がこの地に移住させられたという意味の「徙居
庸徒」に由来するという。太行山脈の支脈である軍都山の
地形を利用して要塞が築かれ、古来、さまざまな民族がここ
を通って北京へと向かった。また景観の美しさでも知られ、
金代に選定された「居庸畳翠(居庸関あたりの翠の重なるさま)」は
燕京八景の首とされる。続く元代には「夏の都」上都と「冬
の都」大都(北京)を結ぶ地理上の要地として、皇帝の行宮、寺
院、庭園などがつくられた。現在の居庸関は、明の初代洪武
帝時代に徐達が改築したもので、城塞の南北に半円形状の
城壁をそなえ、城楼が載る。明代、首都北京を防衛する軍事
拠点として「天下第一雄関」の額がかかり、「天下九塞の一」
とたたえられた。現在、峡谷にあわせて高度差のある居庸関
長城が続くほか、元代に建てられた雲台も残る。

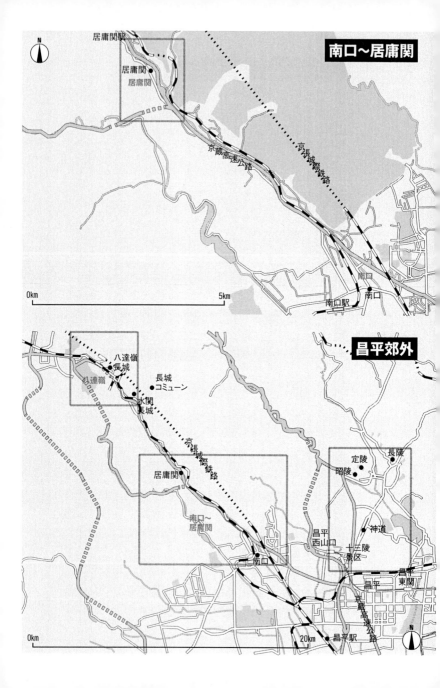

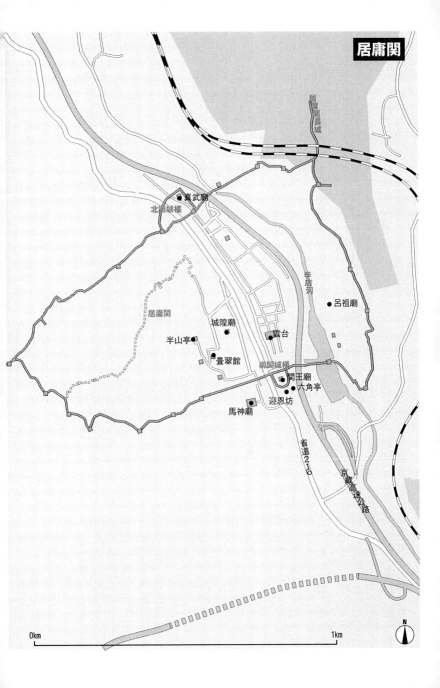

居庸関

居庸関長城

京張鉄路

呂祖廟

居庸関

城隍廟

半山亭

雲台

畳翠館

南関城楼

真武廟

北関城楼

関王廟

六角亭

迎恩坊

馬神廟

省道210

京蔵高速公路

0km   1km

N

雲台／云台★★☆

yún tái

うんだい／ユンタァイ

　　居庸関に残る白大理石の雲台は、元代の1345年に建てられた。高さ9.5m、幅26.84m、基部の奥行き17.57mで、中央にアーチ型の門道をもつ。この雲台には横書きのサンスクリット文字、チベット文字、パスパ文字、ウイグル文字、縦書きの西夏文字、漢字という6種類の文字による『陀羅尼経呪』と『造塔功徳記』が彫られている（パスパ文字は、フビライ・ハンに仕えたチベット仏教僧である国師パスパが、1269年につくった文字）。それは元代、広大な領土のなかでさまざまな人種がこの関所を行き交ったことを示している。また美術上の価値がきわめて高い大鵬金翅鳥、鯨や龍の彫刻、また広目天、多聞天、増長天、持国天の四天王像も見られる。かつてはこの雲台の上部に交通安全と平安のために仏塔が建てられていた。

居庸関の寺廟群

　　万里の長城各地にある関所のなかでも、居庸関には元代から清代にかけて建てられた廟や祠が残っている。それらは仏教、道教、儒教と多岐にわたり、居庸関の守り神をまつ

天下第一雄関の額がかかっている

居庸関の雲台、上部に装飾が見える

雲台に記された文字のなかには西夏文字も見える

中国激動の歴史の舞台となってきた長城

る「城隍廟」、人びとの願いを叶える「呂祖廟」、北極星の「真武廟」、武の神さま関羽の「関王廟」、明代に重視された馬をまつる「馬神廟」などが位置する。

居庸関長城／居庸关长城★☆☆
jū yōng guān cháng chéng
きょようかんちょうじょう／ジュウヨンガァンチャァンチャン

　居庸関では、張家口そばの内蒙古へ続く外長城と、より内側を走る内長城というふたつの万里の長城が交わった（現存する明代の長城は、内と外というように二重体制となっていた）。現存する長城は、明の1368年に建てられはじめ、居庸関あたりの峻険な地形にあわせて走る長城は、全長4142mになる。

屯田兵と為替の発達

　古く中原と呼ばれた黄河中流域から見て、北方の辺境地帯にあたる長城地帯の防衛には屯田兵が派遣された。屯田兵は平時は農業を行なって食料を自給自足し、北方民族の来襲時には軍人となった。この屯田兵の軍営地に続いて県城をもうけ、罪人などを移住させることで、漢民族は支配領域を北へ伸ばしていった。明代になると長城の防衛に膨大な数の人、物資が必要となり、長城への物資を運ぶなかで山西商人が台頭した（北方と南方を結ぶ山西省に地の利があった）。盛んになる遠隔地交易とともに、実際の銀（重く危険がともなう）を必要としない小切手にあたる券が発行され、全国の支店で現金にすることができる為替業務が山西商人によって確立された。こうして「票号」と呼ばれる近代的な銀行業務、為替業務が中国でも発展するようになった。

Ba Da Ling Chang Cheng
八達嶺鑑賞案内

北京市街から北西に70km
龍のようにうねりながら地平へ続き
華麗な姿を見せる八達嶺長城

南口・峡谷・北口

　居庸関と居庸外鎮である八達嶺長城がおかれた地は、北京とモンゴル高原を結び、歴史的には北方民族が華北平原に侵入した街道上にあたる。天然の要害となっている険しい峡谷が20kmに渡って続き、その南側の入口である南口に対して、八達嶺は北側の入口となっている（この峡谷は関溝と呼ばれ、険しい山が連なる要衝として知られてきた）。北京市街から見て峡谷の入口にあたる南口（標高103m）、そこから10km先の居庸関（標高330m）、居庸関から3kmの上関所と、居庸三関が続き、さらに南口から18kmの青龍橋（標高603m）と、北京を守るために数重の防御体制がとられている。あたりは緑が深く、燕京八景のひとつ「居庸畳翠」にあげられ、琴の音のような泉のわく聴琴峡などの景勝地がある。

八達嶺長城／八达岭长城★★★
bā dá lǐng cháng chéng
はったつれいちょうじょう／バァダァリンチャァンチャン

　モンゴルの攻撃から北京を守る城壁として、明代の1506年に建造された八達嶺長城。軍都山（南口山脈）の主峰を八達嶺といい、この八達嶺の尾根筋を万里の長城が走っていく。城壁には塼（ひとつ20〜30kgになるというレンガ）と巨大な石がも

八達嶺長城

N

山頂駅 北八楼

山麓駅 八達嶺索道

北七楼

北六楼

八達嶺 長城駅

京張鉄路

北五楼

詹天佑 紀念館

北九楼 北十楼

北四楼

長城 博物館

北三楼 (敵楼)

八達嶺 長城

山麓駅

北二楼 北一楼

北十一楼

入口 長城博物館

省道216

南一楼

地面纜車

南二楼 (敵楼)

南三楼 (敵楼)

八達嶺隧道

山頂駅 南四楼

男坂

八達嶺 長城へ

南五楼

南六楼

京蔵高速公路

八達嶺野生 動物世界

青龍橋隧道

南七楼

0km 1km

居庸関 北京へ

ちいられ、ほぼ完全な姿を残していることから、八達嶺長城はもっとも有名な万里の長城にあげられる。この長城の高さは平均で7.8m、幅は6.8m（頂部5.8m）、全長3741mとなり、長城の中央内側に居庸外鎮がおかれている。居庸外鎮は八達嶺長城の関所（関城）にあたり、そこから南北に城壁が続いていく。この南北の長城には、関城から外側に向かって北は北一楼、北二楼、北三楼、北四楼、南は南一楼、南二楼、南三楼、南四楼というように一定間隔で楼がおかれている。陰陽思想から北側に女坂、南側に男坂という名前がつけられていて、最高地点は北八楼で888.8m、毛沢東の言葉『不到長城非好漢（長城に到らざれば好漢にあらず）』の碑も残る。八達嶺長城は居庸関の重要な前線地帯で、「居庸関の危機は居庸関にあるのではなく、（その外側の）八達嶺にある」と言われた。「京北第一屏障」ともいう。

八達嶺という名前の由来

八達嶺という名前の由来についてはいくつかの説がある。一帯の山が峻険で、複雑に重なり、万里の長城をつくるのに八度、道を変えなくてはならないからというもの。八座の山を越えなくてはならないからというもの。また長城建設の資材を運ぶのに「修城八法」という仙人の術を使ったというものもある（虎、羊、燕、猿、亀、うさぎ、かささぎ、氷が山のうえに建築資材を運んだ）。そのとき「八大嶺長城」といったが、同じ音の「八達嶺長城」に替わった。実際には、この地が、北は延慶、内

★★★
八達嶺長城／八达岭长城 bā dá lǐng cháng chéng バァダァリンチァァンチャン

★★☆
城壁／城墙 chéng qiáng チャンチィアン
敵楼／敌楼 dí lóu ディィロウ

★☆☆
長城博物館／长城博物馆 cháng chéng bó wù guǎn チァァンチォンボオウウグゥアン
詹天佑紀念館／詹天佑纪念馆 zhān tiān yòu jì niàn guǎn チァンティエンヨウジイニィエングゥアン
八達嶺野生動物世界／八达岭野生动物世界 bā dá lǐng yě shēng dòng wù shì jiè バァダァリンイェシェンドォンウウシイジエ

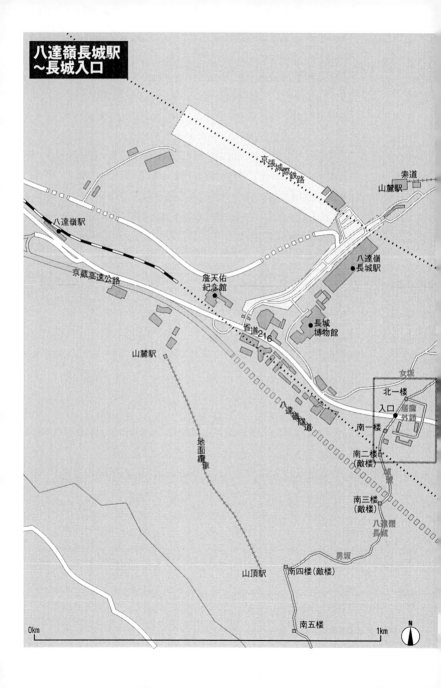

八達嶺長城駅
～長城入口

京張城際鉄路

索道
山麓駅

八達嶺駅

八達嶺
長城駅

京蔵高速公路

詹天佑
紀念館

長城
博物館

省道216

女坂

北一楼

山麓駅

入口

烽燧外鎮

南一楼

八達嶺隧道

南二楼
(敵楼)

地面纜車

南三楼
(敵楼)

八達嶺
長城

男坂

山頂駅

南四楼(敵楼)

南五楼

0km   1km

N

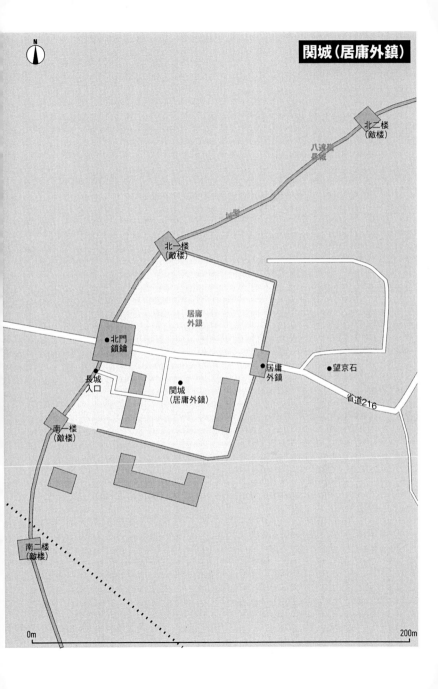

関城（居庸外鎮）

N

北二楼
（敵楼）

八達嶺長城

城壁

北一楼
（敵楼）

居庸
外鎮

●北門
　鎖鑰

長城
入口

●居庸
　外鎮

●望京石

関城
（居庸外鎮）

省道216

南一楼
（敵楼）

南二楼
（敵楼）

0m

200m

蒙古、西は懐来、張家口、大同、東は永寧、四海、南は昌平、北京など、「四通八達」に道が続くからという意味で名づけられた。

関城（居庸外鎮）／关城 ★☆☆
guǎn chéng
かんじょう（きょうがいちん）／グァンチャン

　脈々と東西に続く万里の長城にあって、南北に走る街道の要衝には関城と呼ばれる軍事拠点がおかれていた（八達嶺長城では居庸外鎮）。これらの拠点は「長城関口」、また「堡」「営」「口」とも呼ばれ、八達嶺居庸外鎮は居庸関の外鎮にあたる（ほかには古北口や張家口といった関所が知られる）。こうした関城では兵士が駐屯し、敵の攻撃にそなえて防御機能がもうけられ、城門外にさらに半円形の甕城を築くなどして守備力の強化をはかった。1539年、東門が建てられ、扁額には「居庸外鎮」の文言、西門には「北門鎖鑰」、これらは領土が広大になり長城が不要になった清朝末期には荒廃していたが、1950年代に修復された。

望京石／望京石 ★☆☆
wàng jīng shí
ぼうきょうせき／ワンジンシイ

　望京石は、関城の東門（居庸外鎮）の前におかれた天然の花崗石。この石の上に立って南に向かえば、晴れた日には北京

北京からもっともかんたんに行ける万里の長城

美しい姿を見せる八達嶺長城

一定間隔ごとにおかれている敵楼

八達嶺長城は対モンゴルの前線基地だった

居庸外鎮に刻まれた文言「北門鎖鑰」に関する説明

地形にあわせて長城は表情を変えていく

市街が見えることから、「望京石」という。義和団事件の起こった1900年、西太后が北京を逃れ、八達嶺にいたったとき、この望京石に登って北京のほうへ振り返ったことで有名になった。石の北面には、望京石の文言が見える。

城壁／城墙★★☆
chéng qiáng
じょうへき／チャンチィアン

　戦乱や争いの絶えなかった中国では、「外壁で内部を囲んで侵入者から身を守る」という原則があり、壁で家を囲む四合院、都市を囲む城壁、その延長上に国を守る万里の長城が位置づけられるという。八達嶺長城では城壁の高さは平均で7.8m、幅は6.8m（頂部5.8m）、全長3741mになり、敵の来襲にそなえて銃眼が開けられている。

敵楼／敌楼★★☆
dí lóu
てきろう／ディイロウ

　万里の長城では、城壁の一定間隔（100m程度）ごとに敵楼と呼ばれる防御拠点がおかれていた。内部は兵士の居住空間となっているほか、武器や食料などがそなえられていた。八達嶺長城では中央から外側に向かって一楼、二楼と続き、最高地点の北八楼は標高888.8mになる。

狼煙台／烽火台★☆☆
fēng huǒ tái
のろしだい／フェンフゥオタイ

　敵の襲来を知らせる狼煙台。最前線の守備隊が敵を発見すると狼煙をあげて、それを後方部隊に伝えた。狼の糞を燃やすと真っ直ぐにあがることから、狼煙台という名前がつけられた（材料には狼以外のものも使われた）。

長城博物館／长城博物馆 ★☆☆
cháng chéng bó wù guǎn
ちょうじょうはくぶつかん／チャンチャンボオウウグゥアン

八達嶺長城のそばに立つ万里の長城をテーマにした長城
博物館。万里の長城の歴史、建築、長城をめぐる攻防などが
図や模型を使って展示されている。

詹天佑紀念館／詹天佑纪念馆 ★☆☆
zhān tiān yòu jì niàn guǎn
せんてんゆうきねんかん／チャンティンヨウジイニィエングゥアン

北京と張家口を結ぶ鉄道を建設した技術者の詹天佑(1861
～1919年)に関する詹天佑紀念館。詹天佑は、清朝末期の洋務
運動のなかで、イェール大学で土木工学を学んで、帰国後の
1888年に中国鉄路公司で働くことになった。1905年、北京
と張家口を結ぶ京張鉄路局に移り、居庸関から八達嶺にか
けて、1000m超のトンネル、スイッチバックといった工事を
行ない、それを成功させている。詹天佑紀念館は1987年に
開館し、当時の工事の様子や、測量器具、印鑑などが展示さ
れている。

Ba Da Ling Jiao Qu

八達嶺郊外城市案内

**多くの旅行者の訪れる八達嶺長城
少し離れると、とても静かで
ゆったりとした時間が流れている**

岔道古城／岔道古城★★☆
chà dào gǔ chéng
さどうこじょう／チャアダァオグウチャン

　八達嶺長城の外側、街道上にたたずむ明代以来の岔道古城。岔道とは「道がわかれる」を意味し（ここは三叉口と呼ばれていた）、岔道古城は明代の1551年から30年かけて造営された。東西510m、南北185mの周囲に城壁をめぐらせ、黒い屋根瓦、四合院様式の建物が1本の道の両側に残る。1575年創建の西門には「岔西雄関」の文字が見え、東門は八達嶺長城に続いている。城隍廟や関帝廟、古樹が残り、遠くには八達嶺の稜線が見える。

八達嶺野生動物世界／八达岭野生动物世界★☆☆
bā dá lǐng yě shēng dòng wù shì jiè
はったつれいやせいどうぶつせかい／バァダァリンイェシェンドンウウシイジエ

　八達嶺長城近くの丘陵や自然を利用した野生動物園。「方舟広場」「孔雀東南飛」「野生天地」「適者生存」といったエリアにわかれ、動物の美しさ、猛獣の生態、自然の摂理に触れることができる。アフリカのライオン、キリン、ヌー、アムールトラ、ヒグマ、パンダ、キンシコウ、豹、カンガルーなどが自然のなかで生活している。また石仏の見られる仏岩寺も残る。

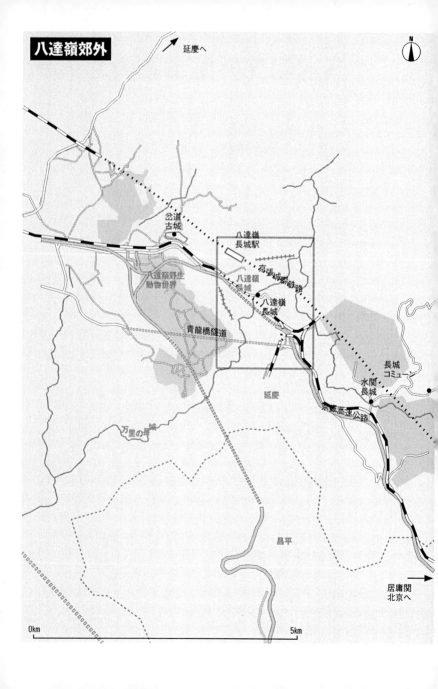

八達嶺郊外

延慶へ

N

岔道
古城

八達嶺
長城駅

八達嶺野生
動物世界

八達嶺
長城

京張城際鉄路

八達嶺
長城

青龍橋隧道

長城
コミューン

水関
長城

延慶

京蔵高速公路

万里の長城

昌平

居庸関
北京へ

0km   5km

残長城／残长城★☆☆
cán cháng chéng
ざんちょうじょう／ツァンチャンチャン

　　八達嶺長城の南西5kmを走る石峡関長城(残長城)。八達嶺
残長城とも、古長城ともいう。八達嶺長城を防御する西の大
門だったところで、明朝を滅ぼした李自成の乱(1606〜45年)
のとき、この場所が戦場になった。

水関長城／水关长城★☆☆
shuǐ guān cháng chéng
すいかんちょうじょう／シュイガァンチャアンチャン

　　八達嶺長城の東端部分にあたる水関長城。現在の長城は
16世紀、明代の名将、戚継光(〜1587年)によって建てられた。
険しい地形のなか城壁が続いていく。

長城コミューン／长城脚下的公社★☆☆
cháng chéng jiǎo xià de gōng shè
ちょうじょうこみゅーん／チャアンチャンジャオシャアダァゴンシェ

　　八達嶺長城の近くに築かれた高級別荘の長城コミュー
ン。12人の建築家が参加してプロジェクトは進み、雄大な
自然にとけこむように建物が点在する(敷地は8平方キロメート
ルにおよぶ)。なかでも竹が効果的に使われた「竹の家」や「竹
の家具の家」などが知られる。

四合院建築のならぶ岔道古城

朝、ふたこぶラクダを連れて長城へ向かう人

北京を代表する観光地の
八達嶺長城を抱える延慶
道は隣接する河北省へ伸びる

延慶／延庆★☆☆
yán qìng
えんけい／イェンチン

　河北省の懐来県に接する北京市北西郊外に位置する延慶。明代初期には隆慶と呼ばれていたが、1567年、隆慶帝の諱をさけて「延慶」という名前になった。中華民国時代はチャハル省の管轄で、1952年、河北省張家口に属したが、1958年に北京市の領域となった。平均海抜500mで夏は比較的涼しく、森林保護区も大きな面積を占める。また延慶には北京を代表する万里の長城「八達嶺長城」が走る。

古崖居／古崖居★☆☆
gǔ yá jū
こがいきょ／グウヤアジュウ

　河北省と北京市の境界近くの峡谷にたたずむ古崖居。石の崖にうがたれた古代人の住居(石穴)で、大小147の石室が残り、門、窓、台所、柱や梁はない。誰が何の目的でつくったかははっきりしておらず、謎に包まれた「中華第一迷宮」と呼ばれる。唐代以後の五代の少数民族である西奚族(モンゴル系)の住居だったという説、また漢代の長城の烽火台の跡だという説がある。古崖居に住む人たちは集会をしたり、祭祀を行なっていたという。

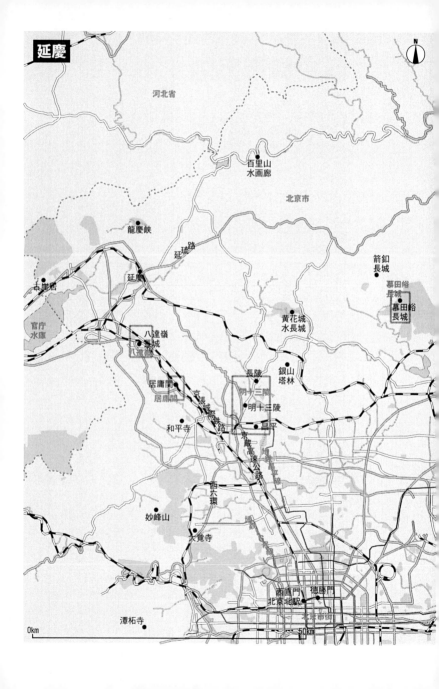

延慶

N

河北省

北京市

百里山
水画廊

龍慶峡

延
琉
路

延慶

古崖居

官庁
水庫

箭釦
長城

慕田峪
長城

慕田峪
長城

八達嶺
長城
八達嶺

黄花城
水長城

居庸関
居庸関

長陵

銀山
塔林

明十三陵

京
長
城
鉄
路

和平寺

明十三陵

昌平

京
蔵
高
速
公
路

妙峰山

西
六
環

大覚寺

西直門
北京北駅

徳勝門

香
津
新
街

潭柘寺

0km   50km

百里山水画廊／百里山水画廊★☆☆
bǎi lǐ shān shuǐ huà láng
ひゃくりさんすいがろう／バァイリイシャンシュイフゥアラァン

　　美しい自然が広がる滝、峡谷などの大自然に包まれ、古刹
や寺院がたたずむ景勝地の百里山水画廊。烏龍峡谷、滴水
壷、朝陽寺、龍王廟、龍帝廟などの景区からなり、大自然が川
にそって112華里(1華里は500m)続くことからこの名前がつ
いた。河北省にほど近い、延慶郊外に位置する。

龍慶峡／龙庆峡★☆☆
lóng qìng xiá
りゅうけいきょう／ロンチンシィア

　　碧色の水が流れ、巨大な龍のようにうねりながら峡谷が
続いていく龍慶峡。北京市街よりも空気が清浄で、冬には雪
景色も美しい。かつては古城九曲とも、水の量の豊富さから
水口子ともいい、流れの両側に断崖が立つ様子が三峡を思
わせる(また桂林を思わせることから、小漓江ともいった)。

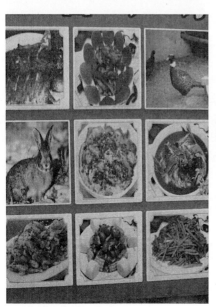
この地方の郷土料理、ウサギの姿も見える

北京市延慶と河北省のあいだに横たわる官庁水庫

Huai Rou
懐柔城市案内

万里の長城のなかでも誉れ高い慕田峪長城
ほかにも箭釦長城や黄花城水長城が残り
長城はどこまでも続いていく

懐柔／怀柔★☆☆
huái róu
かいじゅう／フゥアイロウ

北京市街の北郊外に広がる懐柔は、北京のなかでも山がちなところで、標高1000mをこす山が24座ある。唐代の716年、契丹がこの地域に懐柔県（治所は今の懐柔ではなく順義）をおき、契丹族がこの一帯に暮らしていた。その後の五代も懐柔は契丹の領域となり、北方民族の領土時代が続いた。明の1368年に懐柔県がおかれて以来、このあたりの行政中心地となっている。現在は北京の衛星都市となっていて、慕田峪長城、箭釦長城、黄花城水長城などの長城が走る（長城造営に適した土地で、古いものでは北斉の555年に文宣帝が修築した長城が沙峪郷連雲嶺に残る）。

慕田峪長城／慕田峪长城★★☆
mù tián yù cháng chéng
ぼでんよくちょうじょう／ムゥティエンユゥチャァンチャン

西の居庸関と東の古北口のあいだを走り、八達嶺長城の美しさ、金山嶺長城の険しさをあわせもつ慕田峪長城。古くは北斉（550〜577年）の長城があった場所で、北斉は北魏、東魏に連なる鮮卑族の王朝だが、さらに北方の騎馬民族から国土を防衛するために長城を築いた（北辺を守るこの鮮卑族の武川

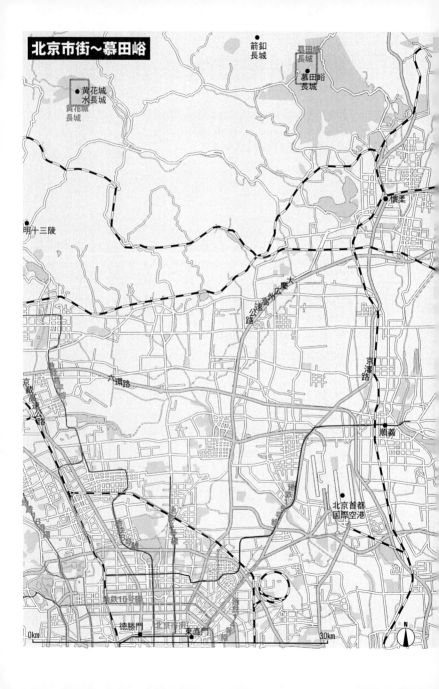

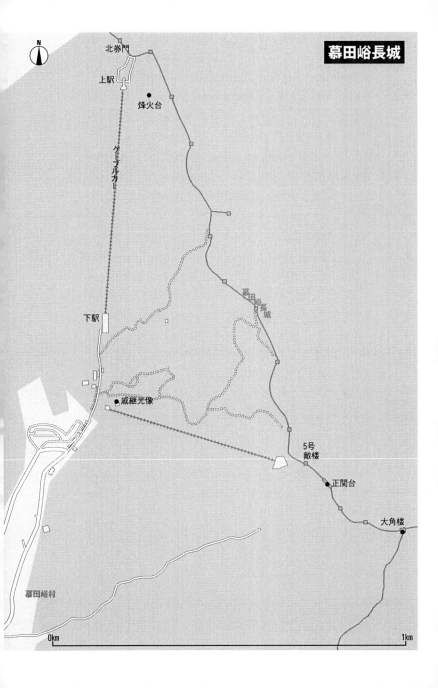

慕田峪長城

N

北券門

上駅

烽火台

ケーブルカー

下駅

慕田峪長城

戚継光像

5号
敵楼

正関台

大角楼

慕田峪村

0km   1km

鎮閣から、のちの隋や唐が出た）。現在の慕田峪長城は1368年に明の開国大元帥である徐達によって建てられ、また皇帝陵の北の守りとして、1404年に慕田峪関（正関台）が整備された。その後、第13代隆慶帝の命で北方の軍事任務にあたった薊鎮総兵の戚継光（～1587年）が、居庸関、黄花鎮、慕田峪から古北口へ続く万里の長城を整備した（ふたつの要衝である居庸関と古北口を結ぶ長城という意味合いがあった）。1983年、この慕田峪長城の改修が決まり、長城の長さ2250m、城壁の高さ7mほどで、17座の敵楼が立つ。北京市街の北方80kmに位置する。

慕田峪長城の構成

　南東から北西に向かって伸びる全長2250mの慕田峪長城の入口付近にはこの長城を修建した戚継光の像が立つ。長城が整備されたのちの1404年、関所（関城）にあたる「正関台」が整備された。長さ40m、幅30m、高さ20mの正関台では、上層では長城内外を監視することができ、大部屋に将軍、また下層の部屋では兵士が待機、生活した。また正関台の東には慕田峪長城東の要「大角楼」が立ち、この大角楼から3つの長城が走る（ひとつは西の八達嶺へ、ひとつは東の古北口へ、ひとつは南の内支城）。正関台から大角楼にいたるあいだでは、500mに満たない距離で4座という密集した敵楼が見られる。また慕田峪長城の北西側、標高1039mの山頂には牛の角を思わせる敵楼「牛犄角辺」が立ち、西から慕田峪関を監視した。

★★★
明十三陵／明十三陵 míng shí sān líng ミンシィサンリン

★★☆
慕田峪長城／慕田峪长城 mù tián yù cháng chéng ムゥティエンユゥチァンチァン

★☆☆
懐柔／怀柔 huái róu フゥアイロォウ
箭釦長城／箭扣长城 jiàn kòu cháng chéng ジィアンコォウチァンチァン
黄花城水長城／黄花城水长城 huáng huā chéng shuǐ cháng chéng フゥアンフゥアチァンシュイチァンチァン

懐柔はとても山の多いところ

八達嶺長城の美しさ、金山嶺長城の険しさをあわせもつ

北京市街から行けるもうひとつの長城、慕田峪長城

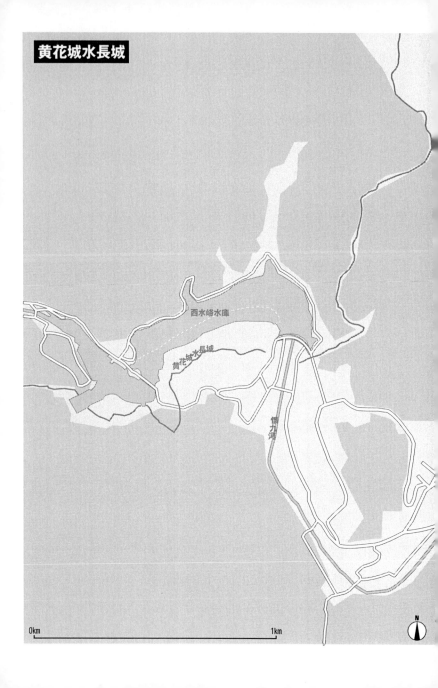

黄花城水長城

西水峪水庫

黄花城水長城

懐九河

0km   1km

N

箭釦長城／箭扣长城 ★☆☆
jiàn kòu cháng chéng
せんこうちょうじょう／ジィアンコウチャァンチャン

　長城のなかでもっとも険しく、「W」の字のようにくねくねと走る箭釦長城。箭釦長城という名称は、矢をひいたときの弓のような姿(「満弓扣箭」)から名づけられた。海抜1141mで、垂直に長城が走るかのような「鷹飛倒仰」はじめ、非常に変化に富む。「鎮北楼」が制高点であり、それぞれ四方に窓があり、箭釦長城の全貌が視界に入る。薊鎮、宣府鎮、和昌鎮という3つの要衝が交わる地点に位置し、南東の慕田峪長城へ城壁は走る。

黄花城水長城／黄花城水长城 ★☆☆
huáng huā chéng shuǐ cháng chéng
こうかじょうすいちょうじょう／フゥアンフゥアチャンシュイチャァンチャン

　ちょうど北京市街の北、懐柔の九渡河鎮に位置する黄花城水長城。瀨明湖のほとり、水辺にそって走ることから「水長城」の愛称をもつ。北方(塞外)の厳しさと、江南の優雅な風景をあわせもち、城壁(長城)が水に沈んでいくめずらしい光景が見られる。明の永楽帝時代の1404年に造営された。

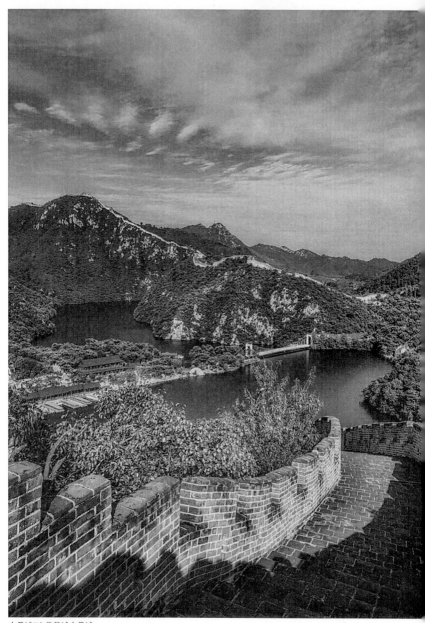

水長城こと黄花城水長城

Mi Yun
密雲城市案内

**古北口は張家口、独石口などとならんで
北京とモンゴル高原を結ぶ街道が走る交通の要衝
見応えある万里の長城が連続する**

古北口／古北口★☆☆
gǔ běi kǒu
こほくこう／グゥベイコウ

　北西の居庸関と、北東の古北口は北京を守る二大関所に
あたり、古くから軍事的要衝と知られてきた。北京で最古
の北斉長城も古北口を走り、遼代に山海関が開かれるまで、
ここが東北と北京を結ぶ一番の街道だった。古北口の近く
には標高1124.6mの臥虎山がそびえ、臥虎山長城、蟠龍山長
城、金山嶺長城、司馬台長城というようにいくつもの万里
の長城が走る。これらの長城は明初(1368年)、徐達が築いた
もので、居庸関、古北口、喜峰口などの長城を修築、その後の
1378年、古北口関城が築城された。とくに満州(東北地方)を出
自とする清朝にとって、夏の離宮がある熱河や、清朝発祥の
瀋陽を結ぶことから重要視され、「京師鎖鑰(鍵、国境地帯の重要
地)」と呼ばれた。この地には春秋戦国から村落があり、北京
で最古の北斉長城と明長城、清朝皇帝の通った御道(1860年整
備)が見られるほか、楊令公廟(1025年創建)、三眼井、薬王廟、関
帝廟、龍王廟などが残る。古北口では、漢族のほか、満族、回
族が暮らす。

万里の長城でもっとも美しいと言われる金山嶺長城

城壁の向こうと城壁のこちらで世界が変わる

建築芸術と軍事防御機能の融合した長城

この金山嶺長城は全長10.5kmに渡って続く

古北口という地名

　清朝第6代乾隆帝(在位1735～95年)は、自らの治世の元年、夏の離宮のある承徳への途上で、この地の長城の美しさに足をとめ、「この地は何というか？」と官吏の劉墉に尋ねた。劉墉が「春秋時代は北口、北魏は出峽、唐代は虎北口と呼んでいました」と答えると、乾隆帝は心のなかで「私は何度もここを通っている。どうして今さら虎北口と呼ぶことができようか」と思った。乾隆帝は、劉墉にこの地の古跡を探させ、関城の南門に「古関」、北門に「北口」の二文字の扁額をかけさせた。そうして、南北の両門の扁額からとって、「古北口」と名づけたという。

古北口の歴史

　燕の昭王が、紀元前283年に長城を修築したとき、密雲県統軍荘南まで続く烽火台をこの地においた(狼煙をあげて、敵襲を知らせる)。その後、漢の紀元前127年に、古北口河西村に城塞が造営された。北斉の555年、北方民族から領土を防衛するために長城が築かれ、これが北京地区のもっとも古い万里の長城となっている。また中国に侵入した遼(916～1125年)の耶律阿保機、金(1115～1234年)の都へおもむいた宋の使者、上都と大都を移動する元(1260～1368年)はいずれも古北口を通るなど、遊牧世界と中華世界の接点という性格が続いた。1368年、徐達が居庸関、古北口、喜峰口などの長城を築いて、その後の1378年に周囲2kmからなる古北口関城がおかれた。第3代永楽帝(在位1402～24年)が北京に遷都したため、首都防衛拠点という性格が強まったが、1550年、モンゴルのアルタン・ハンは古北口から北京に侵入し、北京城を包囲する庚戌の変が起こっている。なお始皇帝による秦代の長城はここからさらに北へ100kmの地点を走っていた。

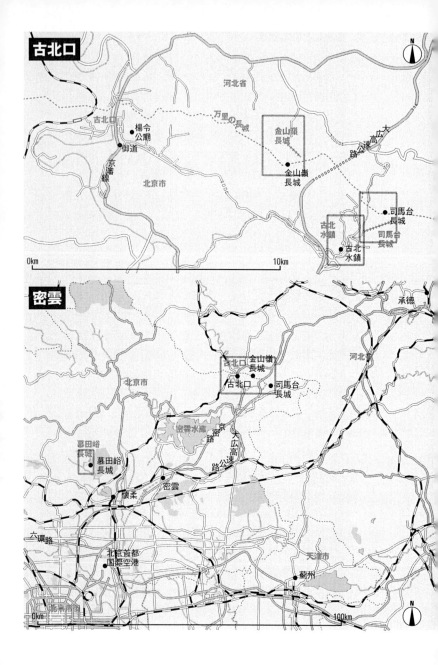

金山嶺長城／金山岭长城★★★

jīn shān lǐng cháng chéng

きんざんれいちょうじょう／ジンシャンリンチャアンチャン

あたりでもひときわ険しい山稜の地形にそって走り、明代の長城の面影を今に伝える金山嶺長城。明代の1368年、徐達によって建設され、軍事防御機能と建築芸術が融合し、「万里長城、金山独秀(万里の長城のなかで、金山嶺長城がひときわ美しい)」とたたえられる。龍のようにうねっていく現在の長城は、「北虜南倭」の憂いのなかで、1567年、戚継光や薊遼総督の譚綸によって築かれた。東に霧霊山、西に臥虎嶺がそびえ、全長10.5kmの長城は、5か所の関所、67座の敵楼、3座の烽燧をそなえている(金山嶺は海抜700m)。とくに近くの古北口がモンゴルの突破地点となっていたこともあり、擋馬壁や支壁をめぐらせて防御態勢がとられ、弓を打つための小さな矢狭間、石落としなど優れた軍事設備をもつ。この金山嶺長城は北京市と河北省のちょうど境を走り、河北省側の承徳市に位置し、東端の老虎山山頂に立つ望京楼は司馬台長城(北京市)を超え、そこから西の龍峪口まで続く。

金山嶺長城の「発見」

河北省灤平県巴克什営鎮に位置する金山嶺長城は、20世紀後半まで燕山山脈にひっそりとたたずむ無名の長城だった。1980年、万里の長城を調査するため、国家旅游局、国家

金山嶺長城

N

入口

河北省

ケーブルカー

三岔路口

金山嶺長城

四方台

小金山楼

砖垛関

将軍楼

大金山楼

后川口

沙嶺口

金山嶺長城

北京市

0km   2km

龍峪口

六眼楼

桃春口

西五眼楼

拐角楼

砖垛口

将軍楼

小金山楼

后川口

東五眼楼

三眼楼

大金山楼

沙嶺口

金山嶺長城

鴛鴦湖

望京楼

司馬台長城

金山岭长城
掲載図をもとに作成

文物局らのつくるチームがこの長城の近くまでやってき
て、沙嶺口から金山嶺長城に足を踏み入れ、それまで知られ
ていないのにも関わらず、壮大で、保存状態のよいことに驚
いた。金山嶺長城に登って調査をするなかで、チームのひと
りだった羅哲文は、「今まで数十年間、長城の研究をしてき
たが、このようなすばらしい長城は見たことがない」と述
べ、ここに金山嶺長城が「発見」された。

金山嶺長城の構成

　金山嶺長城の東端に立つ「望京楼」の海抜は988mで、北方
民族の動きを監視し、北京の灯火をここから見たのでこの
名前がつけられた(両側は断崖となっていて、石の割れ目からなかに
入ることになる)。明代の1579年に建てられた「東五眼楼」は、5
つの開いた窓(眼)があり、船のようなたたずまい、上下の階
ははしごでつながっている。「后川口」は、1368年に建てら
れた長城内外の通道で、ここにも兵士が待機していた。明の
1569年創建の「大金山楼」は上下二層からなり、江蘇省と浙
江省出身の兵士が守ったため、鎮江の金山からとって名づ
けられた(近くの「小金山楼」も同様)。「沙嶺口」は明代初期(洪武年
間)のもので、金山嶺長城にある5つの関所のひとつ、ちょう
どへその位置にある。標高475mの「将軍楼」は1569年に建て
られ、あたりの支壁や擋馬壁もふくめて軍事防衛に優れ
た要塞をつくっている(軍馬を撃退する)。1368年に建てられ、
1569年に修築された関所の「磚垛関」、兵士のために毎日湧
き水を運び、やがて崖の下に落ちて死んだ桃の花のように
美しい娘に由来する「桃春口」、そして西端の「龍峪口」へと
続く。

★★★
金山嶺長城／金山岭长城 jīn shān lǐng cháng chéng ジンシャンリンチャァンチャン
★★☆
司馬台長城／司马台长城 sī mǎ tái cháng chéng スーマァタイチャァンチャン

密雲／密云★☆☆
mì yún
みつうん／ミィイユゥン

　北京北東部にあって、東、北、西を山に囲まれた密雲。春秋戦国時代から漁陽の地として知られていたが、その中心は南城子や薊県など、現在の密雲からは離れた場所にあった。密雲という名前は、北魏の379年におかれた密雲県（河北省豊寧大閣鎮）の県城の南の雲霧が出たという山（密雲山）に由来する。唐代の693年、檀州の治所が現在の密雲の場所に遷り、遼代、檀州は燕雲十六州のひとつを構成した。明の1368年に密雲県がおかれ、以後、清朝時代は順天府の一部だったが、近代以後は河北省の版図となることもあった。燕山山脈と華北平原がまじわる地点に位置し、内蒙古へつながる「京師鎖鑰（鍵、国境地帯の重要地）」の古北口を抱える。また北京の貴重な水がめとなっている密雲水庫も位置する。

密雲水庫／密云水库★☆☆
mì yún shuǐ kù
みつうんすいこ／ミィイユゥンシュイクゥ

　密雲水庫は「京城大水缸（北京の大きな水がめ）」と言われ、華北でも最大規模の湖。188平方キロメートル、水深40〜60mの水庫には、頤和園の昆明湖が150も入る（大きさだ）という。この密雲水庫の水源は、河北省の沽源県から延慶、懐柔を流れてくる白河と、豊寧、古北口から流れてくる潮河で、密雲で合流するふたつの河川は暴れ川だった（降雨が集中したときは、水害がしばしば起こった）。そのため、水の確保と治水をかねて、大躍進時代の1958年に着工し、その2年後の1960年に完成するという工事だった。北京の生活用水、工業用水、農業用水などに使われ、漁業も行なわれている。北京から70km、密雲から12km。

Gu Bei Shui Zhen
古北水鎮城市案内

**古北口から金山嶺長城、司馬台長城
と伸びていく万里の長城
古北水鎮はその麓にたたずむ美しい街**

古北水鎮／古北水镇★☆☆
gǔ běi shuǐ zhèn
こほくすいちん／グゥベイシュイチェン

　司馬台長城麓の鴛鴦湖のほとり、華北の伝統的な街並みが見られる古北水鎮。2014年に観光客向けに、司馬台長城とあわせて新たに開かれた。湯河古寨区とその南側の臥龍堡民俗文化区、水街歴史風情区からなり、鴛鴦湖や湯河の山水と、四合院建築、上官橋、霽煙橋、洗塵橋などの橋が見事に融合して美しい景色をつくる。「八旗会館」（清代、北京と承徳を結ぶ古北口は清朝正黄旗の駐屯地だったところ）、「司馬小焼酒坊」「月老祠」「楊無敵祠」「永順染坊」「円通塔」「英華書院」「震遠鏢局」などが街には点在する。鴛鴦はオシドリ（夫婦）のことで、温泉と冷泉のあわさった湖であることから鴛鴦湖という。

司馬台長城／司马台长城★★☆
sī mǎ tái cháng chéng
しまたいちょうじょう／スーマァタイチャアンチャン

　「中国長城の最」とも言われる司馬台長城。古北口長城の一部で金山嶺長城の東側に続き、険しい山の傾斜にあわせて走る。明の1368年に建てられ、その後の1567年、北方の防御のために将軍戚継光によって修建された（隆慶帝はモンゴル

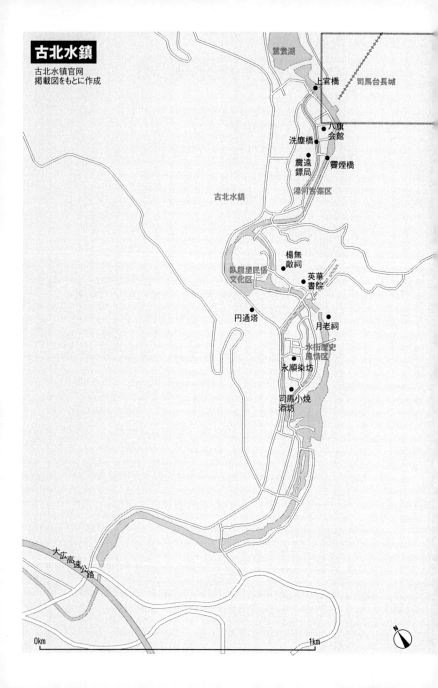

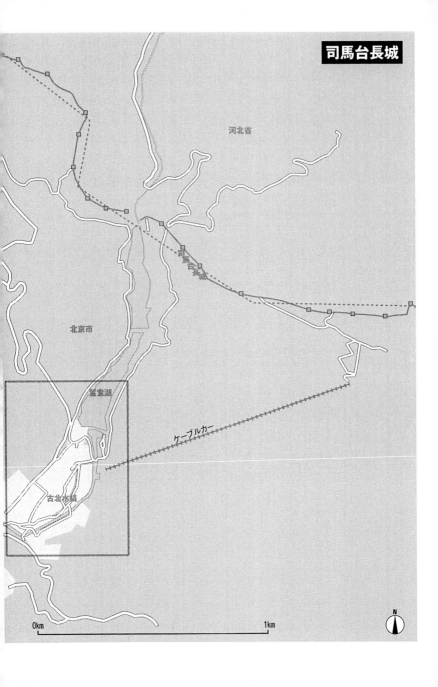

から領土を守るため、名将の戚継光を薊鎮総兵として北方防衛にあたら
せ、戚継光は万里の長城を整備した)。明代の長城のたたずまいを
残すことから「原始長城」ともいい、2014年、「万里の長城」
の構成資産として世界文化遺産に追加登録されている。単
眼楼、双眼楼、三眼楼、四眼楼といった35座の「敵楼」、「天梯」
と呼ばれる60度の急斜面の階段が見られ、司馬台長城は曲
がりくねりながら全長5.4kmにわたって延々と続いていく
(敵の来襲を見張るための敵楼同士の距離が近く、近いところでは数十m、
遠くても300m、平均で140m)。満州と北京を結ぶ要衝に位置する
ことから、1933年の古北口戦役で砲火をあびたという経緯
もある。

万里の長城と明十三陵／地平線へ続く「悠久の城壁」

★★☆
司馬台長城／司马台长城 sī mǎ tái cháng chéng スーマァタイチャァンチャン
★☆☆
古北水鎮／古北水镇 gǔ běi shuǐ zhèn グゥベイシュイチェン

金山嶺長城は北京市と河北省のはざまを走る

「中国長城の最」司馬台長城

古北口一帯の長城を造営した戚継光の像

古北口、金山嶺長城から司馬台長城へと続いていく

長城線をめぐる興亡

始皇帝の時代から繰り返されてきた
漢民族と北方民族の熾烈な争い
それは農耕世界と遊牧世界の衝突でもあった

古代万里の長城 （紀元前7〜1世紀）

　万里の長城は、春秋戦国時代の紀元前7世紀ごろ北方民族の侵入を防ぐために秦、趙、燕といった国が築いたことにはじまり、紀元前221年に始皇帝が中国を統一すると、それらの長城をつなぎあわせて整備された。始皇帝は30万人の兵をひきいる蒙恬を派遣して北方の匈奴からオルドスを奪うなど、この時代の長城は今の長城よりもはるか北にあった（始皇帝時代の長城は土を固めて築かれ、明代のものとは姿が異なる）。一方で始皇帝が死去し、匈奴の冒頓単于がモンゴル高原を統一すると、紀元前198年、漢の高祖（劉邦）が山西省北部で匈奴に包囲されるなど、北方民族の勢力が強くなり、漢民族は劣勢におちいった。この状況が変わったのが、漢の第7代武帝の時代で、黄河に沿って長城が修築され、河西回廊まで漢民族の勢力は広がった。

繰り返される長城の建設 （4〜14世紀）

　北方民族が南下して王朝を樹立するいうことは、中国の歴史を通じて行なわれてきた。後漢代には騎馬民族が長城内にも集住するようになり、4世紀の五胡十六国にはじまり、鮮卑族の北魏、隋唐、モンゴル族の遼、元、満州族の金、清

南口から居庸関、八達嶺長城へと続く山間の道

地元農家の出す料理が食べられる

渤海湾に沈んでいく長城、山東省山海関の老龍頭

「不到長城非好漢我到了」長城に到らざれば好漢にあらず、私は到った

長城の変遷

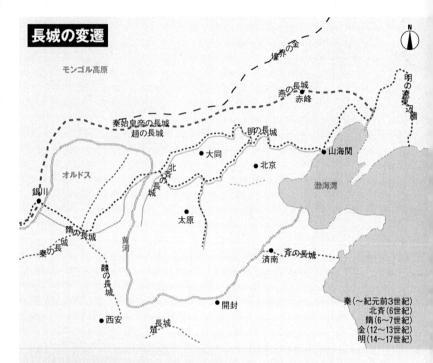

モンゴル高原

境界の金

燕の長城
赤峰

秦始皇帝の長城
趙の長城

明の遼東辺牆

オルドス

明の長城

大同

北京

北の長城

銀川

山海関

渤海湾

隋の長城

太原

秦の長城

黄河

魏の長城

斉の長城

済南

開封

西安

長城

楚

秦(〜紀元前3世紀)
北斉(6世紀)
隋(6〜7世紀)
金(12〜13世紀)
明(14〜17世紀)

北辺の長城を秦の始皇帝がつなぎあわせた
春秋戦国の長城『万里の長城』
(青木富太郎/近藤出版社)掲載図をもとに作成

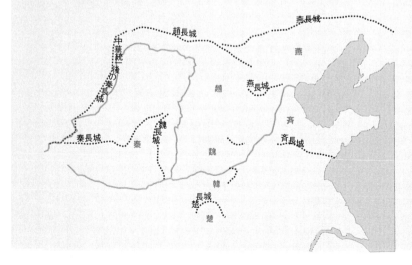

趙長城

燕長城

中華統一後の秦長城

燕

趙

燕長城

斉

秦長城

襄

魏長城

魏

韓

斉長城

長城

楚

楚

などの北方民族が万里の長城を越えて征服王朝を樹立した（北方民族の移動は気候の変動に関係があると言われ、4世紀の五胡十六国時代と同時期に、西欧ではフン族の侵入を受け、西ローマ帝国が滅亡している）。これらの王朝は、例外をのぞいてさらに北方の騎馬民族から国土を守るため長城を築き、また北京から山西省北部にいたる燕雲十六州は南北の勢力の争奪地帯となった（燕は北京、雲は山西省北部）。一方で、フビライ・ハンの朝廷を訪れ、中国各地の精緻な記録を残しているマルコ・ポーロが万里の長城について記していないことからも、ユーラシアの広大な地域に領土をもった元の時代は長城が意味をなさなくなっていたと言われる。

渤海湾から砂漠にいたる長城の建設 （14〜20世紀）

　明は元をモンゴル高原に追いやって建国されたが、モンゴルは北方で強い軍事力をもち、明の北辺をおびやかした。そのため、万里の長城を築いてモンゴルから国土を守ることが明朝にとってなによりの課題となり、明代の長城建設は過去にないほど大規模なものになった（第3代永楽帝の時代は長城を越えて遠征に出たが、やがてモンゴルに対して守勢にまわった）。東の山海関から西の嘉峪関にいたる長城には九辺鎮と呼ばれる軍事拠点がおかれ、また長城線で馬市を開いてモンゴル側の金銀、馬、牛、羊、皮革と中国側の絹布、米、麦などが交換された。このような状況でも、モンゴルはやすやすと長城を突破し、1445年にはエセンによって第6代正統帝が捕虜となる土木の変、1550年にはアルタン・ハンに北京城が包囲される庚戌の変が起こった。第12代嘉靖帝（在位1521〜1566年）の時代、初年に59万両だった北辺軍事費は1550年の庚戌の変のときは220万両にまで増大していた。モンゴル（北元）と明の領域双方を統治した清朝の時代になると、長城はふたたび無用の長物となった。

『長城の中国史 中華VS.遊牧六千キロの攻防』(阪倉篤秀/講談社)

『万里の長城』(青木富太郎/近藤出版社)

『万里の長城攻防三千年史』(来村多加史/講談社)

『居庸関』(村田治郎・藤枝晃/京都大学工学部)

『永楽帝』(寺田隆信/人物往来社)

『北京の史蹟』(繭山康彦/平凡社)

『中国世界遺産の旅1』(石橋崇雄/講談社)

『世界大百科事典』(平凡社)

北京観光の公式サイト・北京旅行網http://japan.visitbeijing.com.cn/

北京市昌平区政府http://www.bjchp.gov.cn/

北京延庆政府门户网站http://www.bjyq.gov.cn/

怀柔政府网http://www.bjhr.gov.cn/

北京市密云区人民政府http://www.bjmy.gov.cn/

明十三陵——世界文化遗产http://www.mingtombs.com/

万里长城・八达岭--八达岭特区网站http://www.badaling.cn/

慕田峪长城http://www.mutianyugreatwall.com/

金山岭长城http://www.jslcc.com/

古北水镇官网http://www.wtown.com/

[PDF]北京空港案内http://machigotopub.com/pdf/beijingairport.pdf

[PDF]北京地下鉄路線図http://machigotopub.com/pdf/beijingmetro.pdf

万里の長城と明十三陵／地平線へ続く「悠久の城壁」

まちごとパブリッシングの旅行ガイド
Machigoto INDIA , Machigoto ASIA , Machigoto CHINA

北京-まちごとチャイナ

天津-まちごとチャイナ

上海-まちごとチャイナ

河北省-まちごとチャイナ

江蘇省-まちごとチャイナ

浙江省-まちごとチャイナ

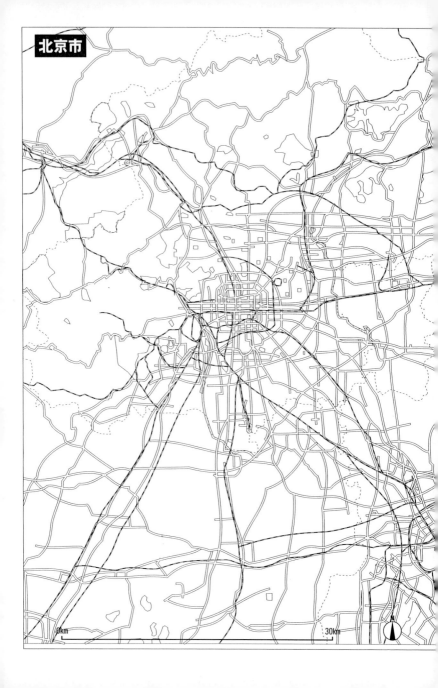

北京市

0km 30km

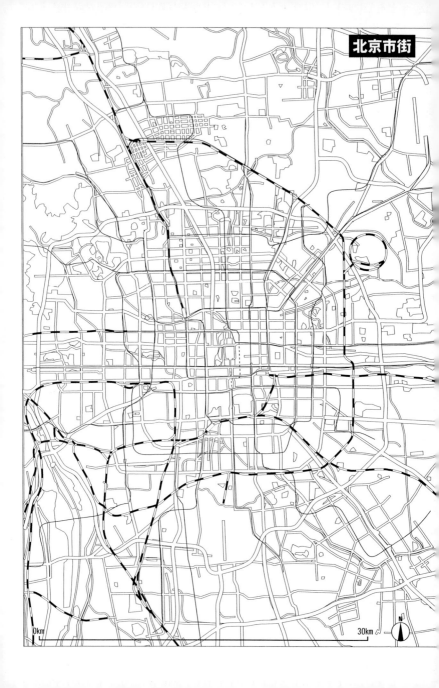

北京市街

0km

30km

N

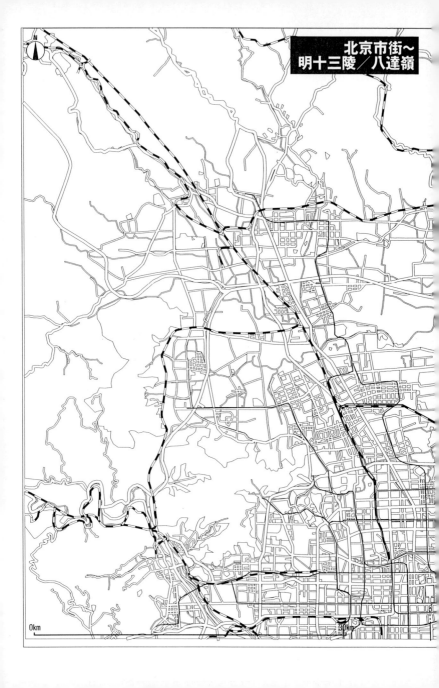

N

0km   30km

昌平

0km   3km

N

昌平と
明十三陵

N

0km   5km

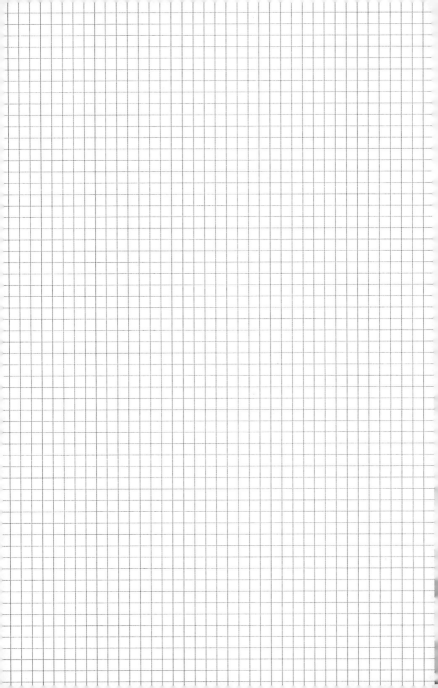

神道

0km   2km

N

明十三陵

N

0km   3km

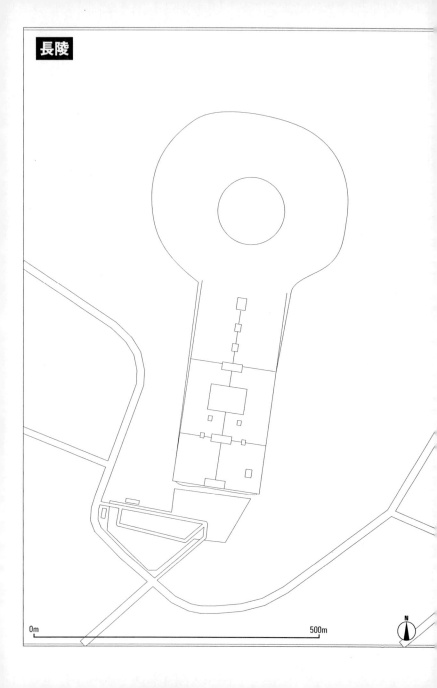

長陵

0m   500m

N

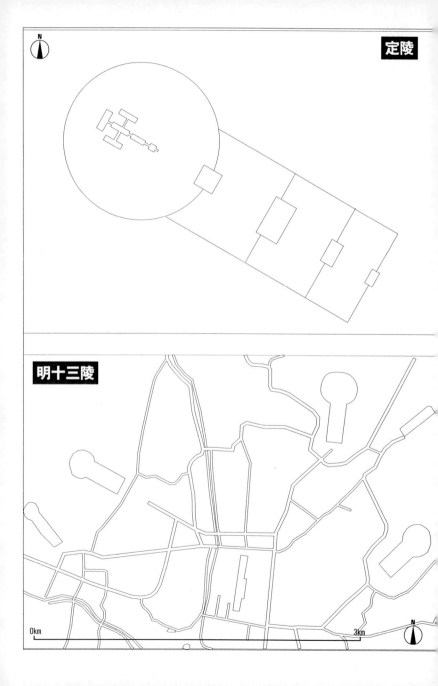

定陵

N

明十三陵

0km   3km

N

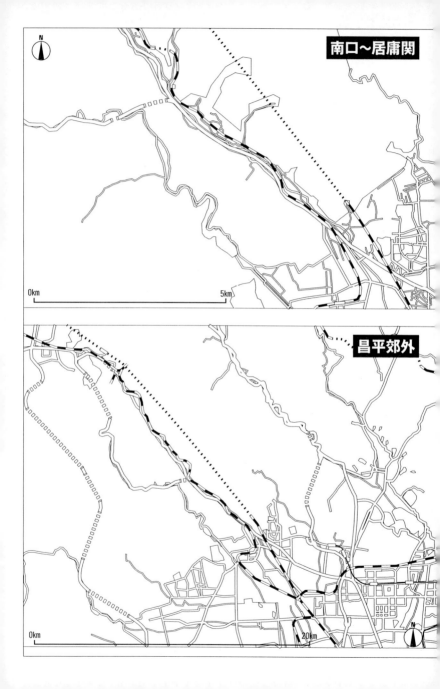

南口～居庸関

0km ────────── 5km

昌平郊外

0km ────────────────── 20km

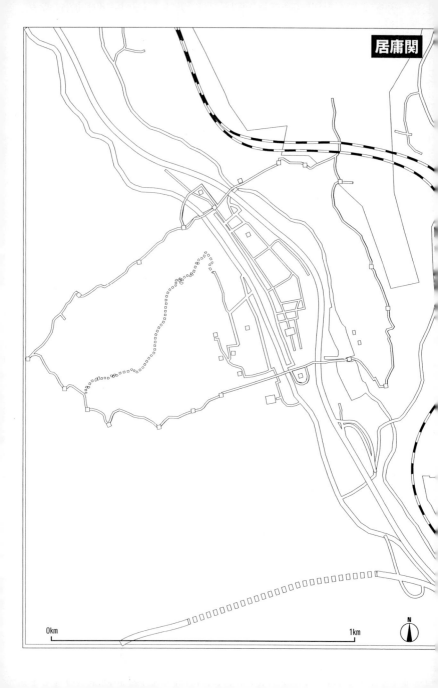

居庸関

0km　　　　　　　　　　　　　　　　　　　　　　　1km

N

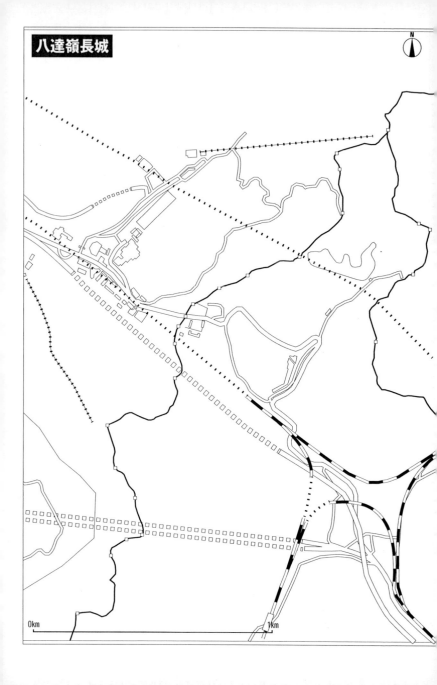

八達嶺長城

N

0km　　　　　　　　1km

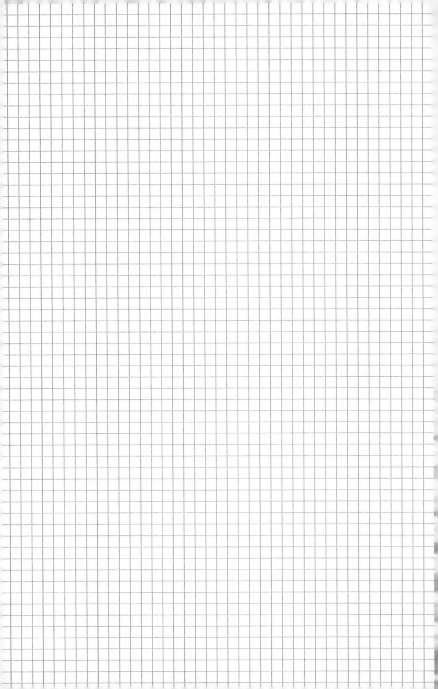

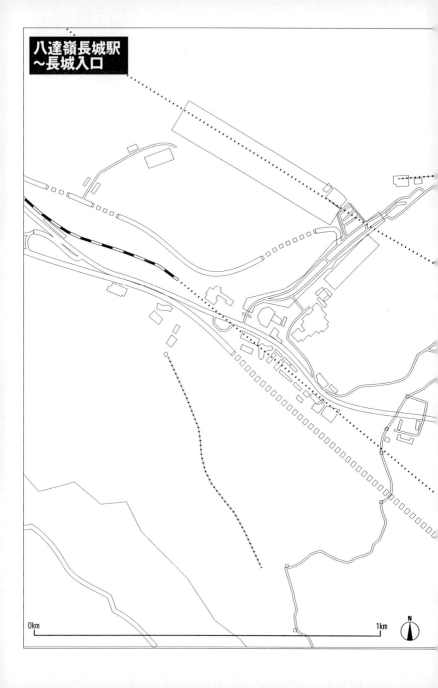

八達嶺長城駅
〜長城入口

0km   1km   N

関城（居庸外鎮）

0m

200m

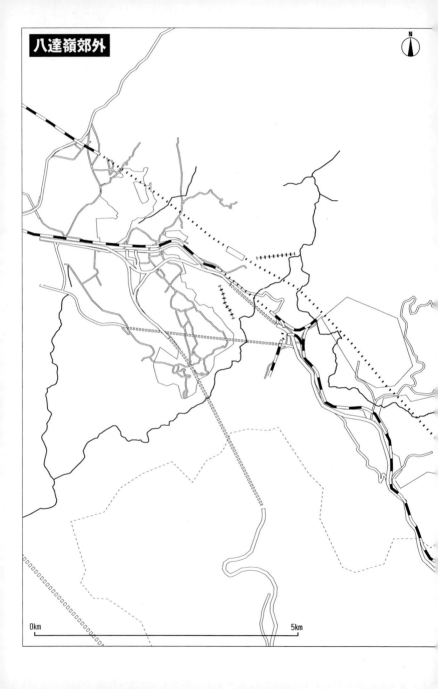

八達嶺郊外

N

0km   5km

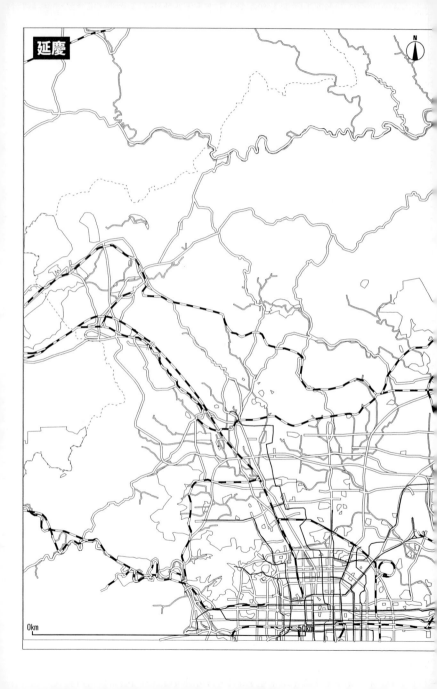

延慶

N

0km 50km

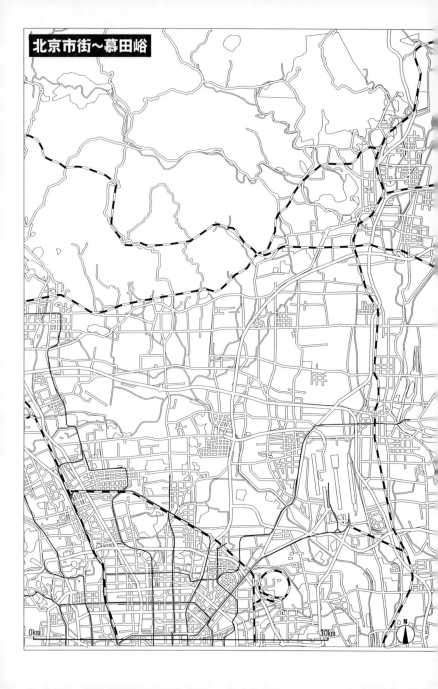

北京市街～慕田峪

0km　　　　　　　　　　　　　　　　　30km

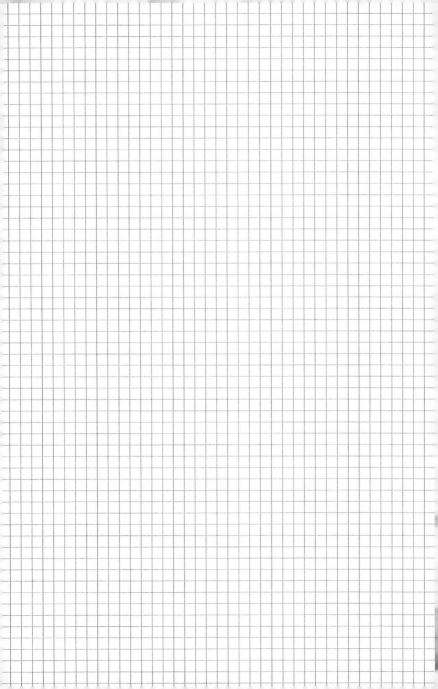

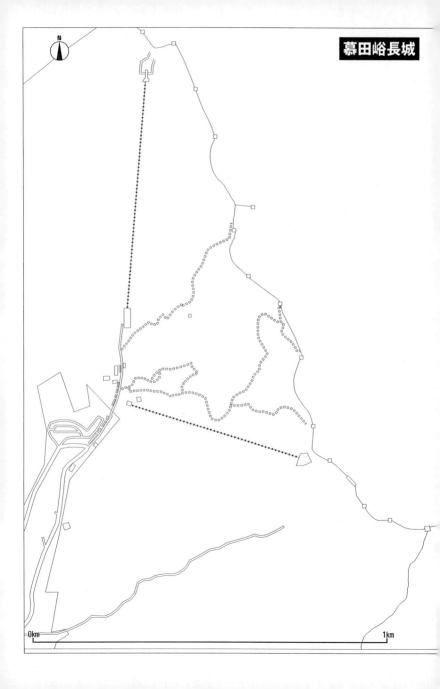

慕田峪長城

黄花城水長城

0km　　　　　　　　　　　　　　　　　1km

N

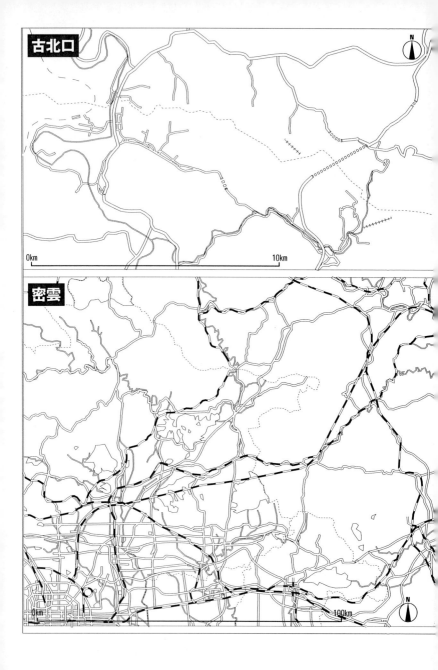

古北口

0km　　　　　　　　　　　　　　　　　10km

密雲

0km　　　　　　　　　　　　　　　　　100km

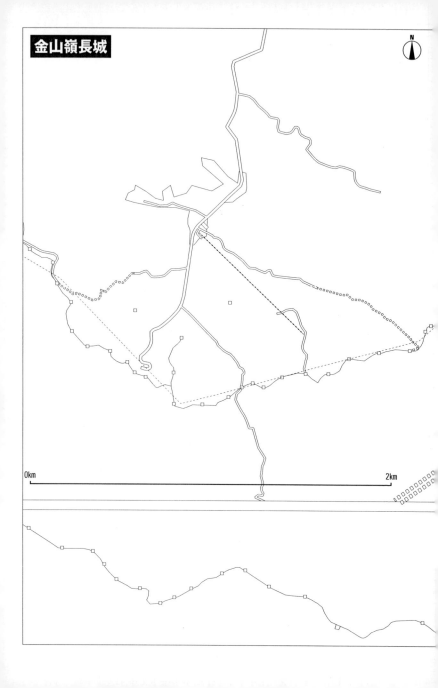

金山嶺長城

N

0km   2km

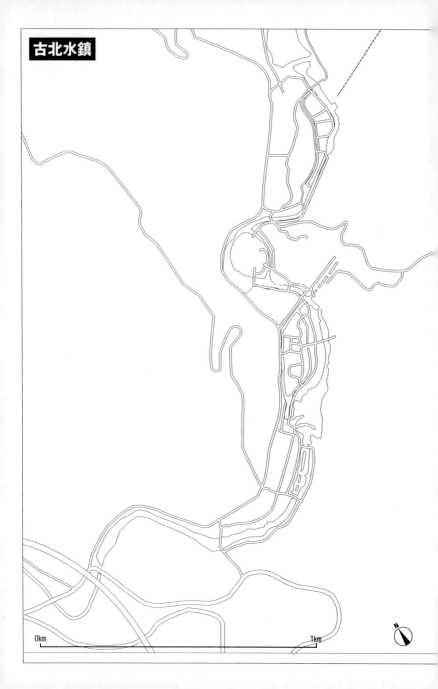

古北水鎮

0km   1km

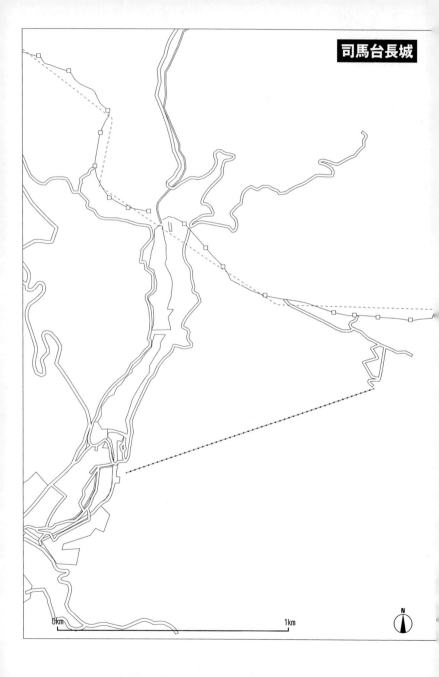

司馬台長城

0km　　　　　　　　　　1km

N

【車輪はつばさ】
南インドのアイラヴァテシュワラ寺院には
建築本体に車輪がついていて
寺院に乗った神さまが
人びとの想いを運ぶと言います

An amazing stone wheel of the Airavatesvara Temple
in the town of Darasuram, near Kumbakonam in the South India

まちごとチャイナ
北京 010

万里の長城と明十三陵
地平線へ続く「悠久の城壁」
［モノクロノートブック版］

「アジア城市（まち）案内」制作委員会
まちごとパブリッシング
http://machigotopub.com

・本書はオンデマンド印刷で作成されています。
・本書の内容に関するご意見、お問い合わせは、発行元の
　まちごとパブリッシング info@machigotopub.com までお願いします。

まちごとチャイナ
［新版］北京010万里の長城と明十三陵
～地平線へ続く「悠久の城壁」

2020年 2月20日　発行

著　者　　「アジア城市（まち）案内」制作委員会
発行者　　赤松　耕次
発行所　　まちごとパブリッシング株式会社
　　　　　〒181-0013　東京都三鷹市下連雀4-4-36
　　　　　URL http://www.machigotopub.com/
発売元　　株式会社デジタルパブリッシングサービス
　　　　　〒162-0812　東京都新宿区西五軒町11-13
　　　　　　　　　　　清水ビル3F
印刷・製本　株式会社デジタルパブリッシングサービス
　　　　　URL http://www.d-pub.co.jp/

MP225